CURSO
DE ESPAÑOL
PARA
EXTRANJEROS

ELE ACTUAL

B1

Libro
del alumno

Virgilio Borobio
Ramón Palencia

sm

Autor
Virgilio Borobio
Ramón Palencia

Edición
Alejandro García-Caro García
Ignacio Martínez García

Corrección
Departamento de corrección de SM

Asesoramiento lingüístico
Jorge Sánchez Arribas

Traducción del glosario
Cristina Díez Pampliega (alemán), Bakun (inglés), Anne-Elisabeth Treffot (francés),
Simone Nascimento Campos y Mary Jane de Santana Gomes (portugués)

Ilustración
Julio Sánchez; Archivo SM; Sandra Aguiar Latorre

Cartografía
Estudio SM

Fotografía
Javier Calbet, Sergio Cuesta, Juan Baraja/Archivo SM; Olimpia Torres; Pedro Carrión; Almudena Esteban; Peter Rey; Kevin Peterson, Doug Menuez, Ryan McVay, STOCKTREK/PHOTODISC; Rodrigo Torres/GLOWIMAGES; Valentyn Volkov/iSTOCKPHOTO.COM; Noriko Cooper, Ondrej Krupala/DREAMSTIME; CORBIS/CORDON PRESS; CONTACTO; EFE; FOTOTECA 9X12; ORONOZ; PAISAJES ESPAÑOLES; G TRES ON LINE; LATINSTOCK; CMCD; BANANASTOCK; PHOVOIR; INGRAM; REDFERN; INGIMAGE; THINKSTOCK; ABLESTOCK; 123RF; GETTY IMAGES; IMAGESOURCE; AGE FOTOSTOCK; ALBUM; STUDIO DOG; Filmoteca Español; Editorial Alfaguara; Editorial Astiberri; El País Aguilar

Grabación
Rec Division

Edición gráfica
Sergio Cuesta Caminero

Diseño de cubierta e interiores
Estudio SM

Maquetación
Grupo Kunzzo, S. L.

Coordinación técnica y de diseño
Mario Dequel

Coordinación editorial
Cristina Campo García

Dirección del proyecto
Pilar García García

Datos de comercialización

Para el extranjero:
Grupo Editorial SM Internacional
Impresores, 2. Urb. Prado del Espino
28660 Boadilla del Monte – Madrid (España)
Teléfono: (34) 91 422 88 00
Fax: (34) 91 422 61 09
internacional@grupo-sm.com

Para España:
Cesma, S. A.
Joaquín Turina, 39
28044 Madrid
Teléfono: 902 12 13 23
Fax: 902 24 12 22
clientes@grupo-sm.com

fundación sm

La Fundación SM destina los beneficios de las empresas SM a programas culturales y educativos, con especial atención a los colectivos más desfavorecidos.

Si quieres saber más sobre los programas de la Fundación SM, entra en
www.fundacion–sm.org

ELE ACTUAL B1 es un curso comunicativo de español dirigido a estudiantes adolescentes y adultos que cubre el nivel B1 establecido por el *Marco común europeo de referencia para las lenguas* y está adaptado al *Plan curricular del Instituto Cervantes*. Se trata de un curso centrado en el alumno, que permite al profesor ser flexible y adaptar el trabajo del aula a las necesidades, condiciones y características de los estudiantes.

Se apoya en una metodología motivadora y variada, de contrastada validez, que fomenta la implicación del alumno en el uso creativo de la lengua a lo largo de su proceso de aprendizaje. Sus autores han puesto el máximo cuidado en la secuenciación de las diferentes actividades y tareas que conforman cada lección.

Tanto en el Libro del alumno como en el Cuaderno de ejercicios se ofrecen unas propuestas didácticas que facilitan el aprendizaje del estudiante y lo sitúan en condiciones de abordar con garantías de éxito situaciones de uso de la lengua, así como cualquier prueba oficial propia del nivel al que **Ele Actual B1** va dirigido (DELE, escuelas oficiales de idiomas, titulaciones oficiales locales, etc.).

El Libro del alumno está estructurado en tres bloques, cada uno de ellos formado por cuatro lecciones más otra de repaso. Las lecciones giran en torno a uno o varios temas relacionados entre sí.

En la sección ***Descubre España y América Latina*** se tratan aspectos variados relacionados con los contenidos temáticos o lingüísticos de la lección. Las actividades propuestas permiten abordar y ampliar aspectos socioculturales de España y América Latina, complementan la base sociocultural aportada por el curso y posibilitan una práctica lingüística adicional.

Todas las lecciones presentan el cuadro ***Recuerda***, donde se recapitulan las funciones comunicativas tratadas en ellas, con sus correspondientes exponentes lingüísticos y contenidos gramaticales.

Cada lección concluye con la sección ***Materiales complementarios***, en la cual se ponen a disposición de alumnos y profesores más propuestas didácticas destinadas a la práctica adicional y opcional de las destrezas y de los contenidos lingüísticos y funcionales. Han sido concebidas para dar una respuesta más flexible a las necesidades específicas de los alumnos y dotar de más variedad al curso. Su inclusión en el manual contribuye a enriquecer el repertorio de técnicas de enseñanza empleadas por el docente.

Al final del libro se incluyen un resumen de todos los contenidos gramaticales (***Resumen gramatical***) y un **glosario del vocabulario productivo** del curso ordenado por lecciones y traducido a varios idiomas.

Así es este libro

Presentación

Al comienzo de cada lección se especifican los objetivos comunicativos que se van a trabajar. La presentación de los contenidos temáticos y lingüísticos que abre cada lección (gramática, vocabulario y fonética) se realiza con el apoyo de los documentos y técnicas más adecuados a cada caso. En las diferentes lecciones se alternan diversos tipos de textos, muestras de lengua, diálogos, fotografías, ilustraciones, cómics, etc. La activación de conocimientos previos y el desarrollo del interés de los alumnos por el tema son objetivos que también se contemplan en esta fase.

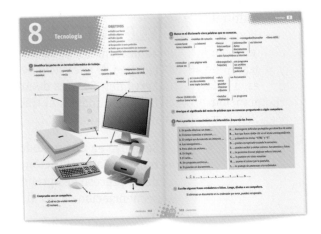

Práctica de contenidos

A continuación se incluye una amplia gama de actividades significativas y motivadoras mediante las cuales el alumno va asimilando de forma progresiva los contenidos temáticos y lingüísticos necesarios para alcanzar los objetivos de la lección. Muchas de ellas son de carácter cooperativo y todas han sido graduadas de acuerdo con las demandas cognitivas y de actuación que plantean al alumno. Esas actividades permiten:

- La práctica lingüística.
- La aplicación, el desarrollo y la integración de las diferentes destrezas lingüísticas (comprensión auditiva, expresión oral, interacción oral, comprensión lectora y expresión escrita).
- La aplicación y el desarrollo de estrategias de comunicación.
- El desarrollo de la autonomía del alumno.

Estrategias de aprendizaje

A lo largo del curso se proponen diversas actividades destinadas a fomentar el desarrollo de estrategias positivas de aprendizaje. Tienen como objetivo ayudar al alumno a descubrir estrategias que no conocía o no ponía en práctica pero que pueden serle útiles en lo sucesivo si se adaptan a su estilo de aprendizaje. La labor de "aprender a aprender" facilita el proceso de aprendizaje del alumno y le permite llevarlo a cabo con un mayor grado de autonomía, confianza en sí mismo y responsabilidad.

Contenidos socioculturales

La integración de contenidos temáticos y lingüísticos hace posible que el alumno pueda aprender la lengua al mismo tiempo que asimila unos conocimientos sobre diversos aspectos socioculturales de España y América Latina. Las tareas incluidas contribuyen también a aumentar el interés por los temas seleccionados y al desarrollo de la conciencia intercultural, esto es, a la formación en el conocimiento, comprensión, aceptación y respeto de los valores y estilos de vida de las diferentes culturas.

Materiales complementarios

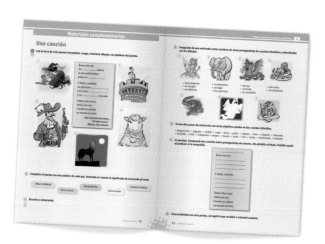

Las propuestas didácticas incluidas en la sección *Materiales complementarios* constituyen un auténtico banco de actividades extra. Aportan más variedad, innovación y calidad didáctica al programa; ayudan a centrar más el curso en el alumno y facilitan la flexibilidad del profesor, quien podrá decidir cuál es la actividad adecuada y el momento apropiado para realizarla una vez que haya detectado ciertas necesidades específicas de sus alumnos.

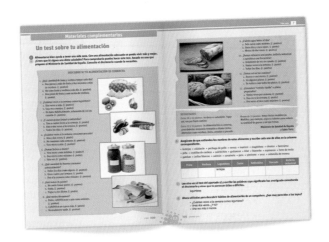

Contenidos del libro

	TEMAS Y VOCABULARIO	OBJETIVOS COMUNICATIVOS
1 EL ESPAÑOL Y TÚ	• Los estudios de español • Variedades del español	• Expresar la duración de una acción comenzada en el pasado y que continúa en el presente • Pedir valoración • Valorar • Expresar habilidad para hacer algo • Hablar del pasado (1) • Describir en pasado • Expresar acciones habituales en el pasado • Expresar una acción ocurrida en una unidad de tiempo terminada • Hablar de una acción que ocurrió una sola vez
2 SIGLO XXI, MUNDO LATINO	• El futuro • España y Latinoamérica	• Hablar del futuro • Hacer predicciones • Expresar condiciones y sus consecuencias • Hacer comparaciones: destacar una cosa entre varias • Pedir y dar información cultural • Expresar probabilidad
3 ¿CÓMO CONOCISTE A TU MEJOR AMIGO?	• Amigos. El amor • Adjetivos de personalidad • Formas de conocerse	• Hacer definiciones • Hablar del pasado (2) • Describir la situación o las circunstancias en las que se produjo un hecho (1) • Narrar hechos pasados • Expresar la causa
4 ¿QUÉ ES DE TU VIDA?	• Encuentros de personas • Relaciones personales	• Expresar una acción pasada anterior a otra acción pasada • Narrar hechos de nuestra vida • Expresar experiencias personales • Interesarse por alguien • Expresar alegría y satisfacción • Expresar tristeza y pena • Expresar sorpresa y extrañeza
REPASO 1	**Lecciones 1-2-3-4**	
5 DESEOS Y PLANES	• Deseos • Fiestas • Celebraciones • Deseos sociales • Planes y proyectos	• Expresar esperanza • Expresar deseos sobre el futuro • Formular buenos deseos en determinadas situaciones sociales • Expresar planes • Secuenciar acciones futuras

1

El español y tú

OBJETIVOS

- Expresar la duración de una acción comenzada en el pasado y que continúa en el presente
- Pedir valoración
- Valorar
- Expresar habilidad para hacer algo
- Hablar del pasado
- Describir en pasado
- Expresar acciones habituales en el pasado
- Expresar una acción ocurrida en una unidad de tiempo terminada
- Expresar una acción que ocurrió una sola vez

Conocer a los compañeros

1a Habla con un compañero para descubrir seis cosas que tenéis en común y anotadlas. Podéis referiros a cualquier aspecto de vuestra vida personal o profesional.

- A mí me gusta mucho viajar, ¿y a ti?
- A mí también.

1b Comentad al resto de la clase las coincidencias que os parezcan más interesantes o curiosas.

- A Diane y a mí nos gusta mucho viajar.
- Sí; además, las dos somos hijas únicas.

Los estudios de español

2 **Lee estas preguntas y respuestas desordenadas. ¿Entiendes todo?**
a

1. ¿Cuánto tiempo llevas estudiando español?

2. ¿Desde cuándo puedes comunicarte en español?

3. ¿Tienes posibilidades de practicar el español fuera de clase?

4. ¿Has estado en algún país latinoamericano?

5. ¿Cómo fue la experiencia?

6. ¿Te parece difícil el español?

7. ¿Y qué es lo que más te gusta de la lengua española?

A. Sí, a veces quedo con un amigo mío mexicano y hablamos español.

B. Dos años.

C. ¡Ah, muy bien! Aprendí mucho y me encantó el país.

D. Sí, hace dos años pasé un mes en Uruguay.

E. Palabras como "siesta", "fiesta", etc. Me gusta cómo suenan y lo que significan.

F. Desde que empecé a estudiarlo.

G. Pues no, no lo encuentro muy difícil. Es que no soy malo para los idiomas.

b **Relaciona cada pregunta con la respuesta correspondiente. Luego, compara los resultados con los de un compañero.**

c **Escucha y comprueba con la grabación.**

🎧
1|1

3 **Fíjate.**
a

Cantidades de tiempo

Llevar + cantidad de tiempo + verbo en gerundio

- (• ¿Cuánto tiempo **llevas** estudiando español?)
  ○ **Llevo** dos años estudiando español.

Desde + | fecha/año
         | *hace* + cantidad de tiempo
         | *que* + verbo conjugado

- • ¿**Desde** cuándo estudias español?
  ○ (Estudio español) **Desde** | el año 2010.
                                 | **hace** tres años.
                                 | **que** estuve en México.

b **Piensa en tus respuestas a las preguntas de la actividad 2a. Luego, coméntalas con un compañero; ¿coincidís en muchas cosas?**

- • Yo llevo dos años estudiando español.
- ○ Yo también llevo dos años estudiando español.

4 **¿Cuáles son tus actividades preferidas en clase de español? Aquí tienes algunas que se pueden hacer.**
a **Elige dos o tres que te gustan mucho y dos o tres que no te gustan, o que te gustan menos.**

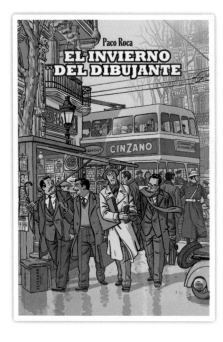

- Hablar en parejas o en pequeños grupos

- Trabajar con cómics

- Practicar y repasar el vocabulario

- Practicar con juegos

- Estudiar gramática y hacer ejercicios gramaticales

- Trabajar con canciones

- Practicar la pronunciación

- Leer periódicos, revistas o libros (o partes de libros)

- Escuchar grabaciones

- Hacer exámenes

- Representar situaciones, hacer simulaciones

- Escribir correos electrónicos, cartas, redacciones, etc.

- Trabajar con DVD o películas

- Navegar por internet en español

- Hacer actividades que me ayudan a descubrir ideas para aprender más

b **Coméntale a tu compañero por qué te gustan o no esas actividades y si te parecen útiles o no para aprender.**

A mí me gusta trabajar con cómics porque me encantan los cómics y entiendo más que cuando leo otros textos porque los dibujos me dan mucha información y me ayudan a entender palabras. Me parecen muy útiles para aprender español.

c **Añade algo más que te gustaría hacer en clase de español. Díselo a tu profesor.**

A mí me gustaría…

El último curso de español

5 Lee los comentarios de estos dos estudiantes sobre el último curso de español al que asistieron. ¿Con qué palabras se refieren a estos aspectos?

- Las características del curso
- Actividades habituales de la clase
- Sus actividades preferidas
- Lo más fácil y lo más difícil del español
- Algún buen recuerdo del curso

El último curso lo hice en una escuela en Berlín. El profesor era muy bueno y aprendí mucho con él. Teníamos dos clases de hora y media a la semana. En clase hacíamos actividades diferentes: ejercicios de gramática y de vocabulario, y veíamos DVD y partes de películas españolas y anuncios. A mí eso era lo que más me gustaba. Una vez vimos parte de una película de Almodóvar y nos lo pasamos muy bien. Me gusta el español, pero los verbos me parecen bastante difíciles.

Peter (Bremen)

Hace dos años hice un curso intensivo de dos semanas en España, en Málaga. Éramos muy pocos en clase, seis o siete. Los alumnos eran todos de diferentes nacionalidades y muy simpáticos; el ambiente era muy bueno. Lo que más me gustó del curso, además de las clases, fue la gente que conocí. Normalmente, en clase hacíamos ejercicios de gramática, aprendíamos vocabulario y hablábamos sobre diferentes temas. A veces escuchábamos canciones. Un día dimos la clase en un bar; la profesora nos explicó en qué consistían las tapas y luego las probamos. Fue una clase muy divertida y muy útil. Para mí, lo más difícil del español es el vocabulario porque tengo muy mala memoria.

Inga (Copenhague)

6
a Como ves, para hablar del curso pasado, Inga y Peter han utilizado dos tiempos verbales, el pretérito imperfecto y el pretérito indefinido. Vuelve a leer los textos y subraya las formas que correspondan a esos tiempos.

b Ahora anota el nombre del tiempo usado en cada uno de los siguientes casos:

YA SABES QUE...

Para expresar una acción habitual en el pasado se utiliza el ....

Para expresar una acción que ocurrió una sola vez se usa el ....

Para hacer descripciones en pasado se emplea el ....

7 ¿Cuáles de estos marcadores temporales emplearías para referirte a una acción habitual en el pasado?

a ¿Y para hablar de una acción que ocurrió una sola vez? Coloca cada expresión en la columna correspondiente.

normalmente

una vez

(casi) siempre

aquel día

un día

a menudo

a veces

(casi) todos los días

Con una acción habitual en el pasado	Con una acción que ocurrió una sola vez
normalmente	

b Elige algunos de esos marcadores y escribe frases sobre el primer curso de español que hiciste.

c Intercambia tus frases con las de un compañero y corrígelas. ¿Hay alguna información que te sorprenda?

8 Vas a escuchar a cuatro estudiantes hablando sobre su último curso de español. Anota en el cuadro los datos que entiendas.

1|2

	1.	2.	3.	4.
Centro de estudios				
Número de horas semanales				
Actividades habituales de clase				
Algún recuerdo				
Lo más difícil del español				

9 Piensa en el último curso de español que hiciste y rellena esta ficha.

a

Centro de estudios	
Número de horas semanales	
Número de alumnos	
Actividades habituales de clase	
Lo que más te gustaba	
Lo que menos te gustaba	
Lo que te parecía más difícil	
Un recuerdo del curso	

b Coméntale las respuestas a un compañero y averigua en cuántas coincides con él.

- El último curso de español lo hice en...
- ¿Y cuántas horas de clase tenías?
- Tenía tres clases de una hora a la semana...

c Comentadlo con el resto de la clase. ¿Qué pareja ha encontrado más coincidencias?

- Los dos hicimos el último curso en... y teníamos...
  Lo que más nos gustaba era...
  Lo que nos parecía más difícil era...

Estrategias de aprendizaje

10 Las estrategias de aprendizaje son cosas que hacemos o "trucos" que empleamos para aprender más y mejor.

a Lee lo que dicen estos estudiantes de español sobre las estrategias que utilizan.

Cuando tengo problemas para aprender una palabra, intento asociarla con una persona o una cosa real que yo conozco, y eso me ayuda a aprenderla. Antes tenía muchos problemas para recordar la palabra *bigote*, y desde que la asocié con un familiar mío que lleva bigote, no tengo ningún problema.

Aisha (Marruecos)

A mí me gusta mucho trabajar con algún compañero porque nos ayudamos mucho. Por ejemplo, cuando tengo dudas me las resuelve si puede, me corrige cosas que escribo... ¡Ah! Y yo hago lo mismo con él.

Bruno (Italia)

A veces, cuando estoy en mi casa estudiando, hablo en español con personas imaginarias. De esa forma puedo practicar.

Beatriz (Brasil)

Algunas veces, antes de escuchar una grabación, me imagino la situación de las personas que van a hablar y lo que pueden decir. Luego, si dicen algunas de las cosas que he imaginado, entiendo mucho más.

Richard (Inglaterra)

Pues yo, cuando hablo en clase, intento usar las palabras y expresiones más difíciles porque luego las recuerdo mejor.

Fumi (Japón)

A mí me gusta mucho cantar, y por eso escucho canciones españolas y latinoamericanas que me gustan y me aprendo la letra. Luego, las canto y practico español pasándomelo bien.

Céline (Canadá)

b ¿Te parecen útiles? ¿Usas tú alguna de ellas? Díselo a la clase.

c ¿Utilizas tú alguna otra estrategia? Explícasela a tus compañeros. Luego, averigua si usan ellos alguna que te parezca útil y que tú no hayas usado nunca.

11

a Ahora vamos a trabajar con una canción, como Céline. Lee la letra incompleta de esta canción y pregúntale al profesor qué significa lo que no entiendas.

> ### CARTA A RIGOBERTA MENCHÚ
>
> Bienvenido, esta es la tierra de los sueños.
> Cuenta y dime qué es lo que quieres soñar.
> Con mi magia, seremos dos compañeros
> por tus sueños, si me invitas a pasar.
>
> Quiero ver la luz del .... natural.
> Quiero despertar sin temer morir.
> Quiero caminar de país en ....,
> sin tener que odiar a quien .... allí.
>
> Quiero amanecer en un mundo en ....
> Quiero resistir a ser infeliz.
> Quiero enamorar a esa ...., sí.
> Quiero colorear el día que esté ....
>
> CELTAS CORTOS: "Carta a Rigoberta Menchú",
> *20 soplando versos*.

b Complétala con estas palabras.

- gris - país - paz - sol - chica - vive

c Escucha y comprueba.

🎧 1|3

d Lee la siguiente estrofa e intenta ordenar las palabras de cada verso.

> jardín quiero un cultivar bello
> despertar en día feliz un quiero
> quiero mis yo deseos cantar sí
> y soñar son quiero realidad que

e Escucha y comprueba.

🎧 1|4

f ¿Te gusta esta canción? Descríbela con dos adjetivos. Puedes usar el diccionario.

g Escúchala y canta. ¿Aprendes español así?

🎧 1|5

h En parejas, podéis escribir otra estrofa y cantarla con la música de la canción.

Quiero...

Recuerda

COMUNICACIÓN

Expresar la duración de una acción comenzada en el pasado y que continúa en el presente

- ● ¿Cuánto (tiempo) llevas estudiando español?
- ○ (Llevo) Dos años (estudiando español).

- ● ¿Desde cuándo estudias árabe?
- ○ Desde el año pasado. / Desde hace dos años. / Desde que estuve en El Cairo.

GRAMÁTICA

Llevar + cantidad de tiempo + gerundio

(Ver resumen gramatical, apartado 3.1)

Desde +| fecha/mes/año/...
        | *hace* + cantidad de tiempo
        | *que* + verbo conjugado

(Ver resumen gramatical, apartado 3.2)

COMUNICACIÓN

Pedir valoración y valorar

- ● ¿Te parece difícil el español?
- ○ Pues no, no | me parece | difícil.
              | lo encuentro |

GRAMÁTICA

Parecer/encontrar + adjetivo
(Ver resumen gramatical, apartado 27.1)

COMUNICACIÓN

Expresar habilidad para hacer algo

- ● Soy bueno para los idiomas y malo en Matemáticas.

GRAMÁTICA

Ser bueno/-a / malo/-o para/en...
(Ver resumen gramatical, apartado 5)

COMUNICACIÓN

Describir en pasado

- ● En mi clase (del año pasado) había muy pocos alumnos y eran todos muy simpáticos.

Expresar acciones habituales en el pasado

- ● (El año pasado, en clase) Casi todos los días hablábamos en parejas o en grupos.

GRAMÁTICA

Pretérito imperfecto
(Ver resumen gramatical, apartados 1.2 y 2.2)

Marcadores temporales con imperfecto:
siempre, todos los días, normalmente, a menudo...

COMUNICACIÓN

Hablar de una acción que ocurrió una sola vez

- ● Un día tuvimos la clase en un bar.

GRAMÁTICA

Pretérito indefinido
(Ver resumen gramatical, apartados 1.1 y 2.1.1.1)

El español en América

1 Lee este texto. Puedes usar el diccionario.
a

Cuando los españoles llegaron a América a finales del siglo XV, se hablaba allí un buen número de idiomas y dialectos que pertenecían a más de 170 familias lingüísticas. Muchos de ellos, como el lule-vilela de Argentina, fueron absorbidos por el castellano. Otros —el quechua, el tupí-guaraní, el náhuatl, etc.— sobrevivieron y hoy son idiomas cooficiales con el español, y los hablan un total de diez millones de personas.

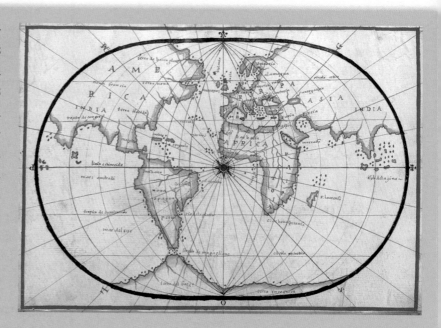

El contacto del castellano con esas lenguas ha producido intercambios, algunos de los cuales son la causa de ciertas peculiaridades de las variedades del español hablado hoy día en América.

Aunque dichas lenguas no han tenido una gran influencia en las estructuras de ese español, sí la han tenido, por ejemplo, en la pronunciación y en el ritmo, que son más melodiosos. Además, enriquecieron el léxico del español desde el principio, puesto que los españoles se encontraron en América con ciertas realidades nuevas para ellos y no tenían las palabras necesarias para nombrarlas. Por esa razón tomaron prestados de las lenguas indígenas los términos precisos; *maíz*, *tomate* o *chocolate* son tres ejemplos de ello.

Por último, no debemos olvidar las aportaciones hechas al español por los esclavos africanos llevados a América. Ellos introdujeron en ese continente palabras como *mambo* o *conga*.

quechua
aimara
guaraní
náhuatl
lenguas mayas
mapuche
lule-vilela

b Léelo de nuevo y señala si estas afirmaciones son verdaderas o falsas.

	V	F
1. Las lenguas indígenas de Hispanoamérica se han conservado hasta nuestros días.	☐	☐
2. Actualmente, la mayoría de los hispanoamericanos son bilingües.	☐	☐
3. Los idiomas y dialectos indígenas han influido más en la fonética que en la gramática del español que se habla en América.	☐	☐
4. Esos idiomas exportaron determinadas palabras a finales del siglo xv.	☐	☐
5. La palabra *mambo* es de origen americano.	☐	☐

c Sustituye las frases falsas por otras verdaderas.

2
a Escucha a Silvia, una chica argentina, comentando las diferencias lingüísticas que encontró al llegar a España. Ordena los siguientes aspectos según el grado de dificultad que le causaron:

🎧 1|6

gramática ☐   pronunciación ☐   vocabulario ☐

b Vuelve a escuchar y completa el cuadro.

🎧 1|7

Argentina	España
vos	
vos podés	
	tú quieres
auto	
sacarse el saco	

c Y tú, ¿qué diferencias léxicas, fonéticas y gramaticales has encontrado entre el español de España que has estudiado y las variedades lingüísticas hispanoamericanas que conoces? Díselo a tus compañeros.

Tengo unos amigos chilenos que nunca dicen "vosotros", siempre "ustedes". Y algunas palabras son bastante diferentes. A los niños pequeños no los llaman "bebés"; dicen "guaguas".

3 Piensa en las respuestas a estas preguntas y coméntalas con tus compañeros.

- ¿Existen también distintas variedades en tu lengua?
- ¿Qué diferencias hay entre ellas?
- ¿Puedes citar algún ejemplo?

El primer día de clase

1
a Lee este texto de la escritora colombiana Yolanda Reyes y pregúntale al profesor qué significa lo que no entiendas.

Frida

De regreso al estudio. Otra vez, primer día de colegio. Faltan tres meses, veinte días y cinco horas para las próximas vacaciones. El profesor no preparó la clase. Parece que el nuevo curso lo toma de sorpresa. Para salir del paso, ordena con una voz aprendida de memoria:

—Saquen el cuaderno y escriban, con esfero* azul y buena letra, una composición sobre las vacaciones. Mínimo, una hoja por lado y lado, sin saltar renglón. Ojo con la ortografía y la puntuación. Tienen cuarenta y cinco minutos. ¿Hay preguntas?

Nadie tiene preguntas. Ni respuestas. Solo una mano que no obedece órdenes porque viene de vacaciones. Y un cuaderno rayado de cien páginas, que hoy se estrena con el viejo tema de todos los años: "¿Qué hice en mis vacaciones?".

"En mis vacaciones conocí a una sueca. Se llama Frida y vino desde muy lejos a visitar a sus abuelos colombianos. Tiene el pelo más largo, más liso y más blanco que he conocido. Las cejas y las pestañas también son blancas. Los ojos son de color cielo y, cuando se ríe, se le arruga la nariz. Es un poco más alta que yo, y eso que es un año menor. Es lindísima." [...]

Levanto la cabeza del cuaderno y me encuentro con los ojos del profesor clavados en los míos.

—A ver, Santiago, léanos en voz alta lo que escribió tan concentrado.

Y yo empiezo a leer, con una voz automática, la misma composición de todos los años:

"En mis vacaciones no hice nada especial. No salí a ninguna parte, me quedé en la casa, ordené el cuarto, jugué fútbol, leí muchos libros, monté en bicicleta, etcétera, etcétera".

*Esfero: bolígrafo

YOLANDA REYES: "Frida", *El terror de sexto B*.

b Lee estos tres posibles finales de ese relato y asegúrate de que los entiendes.

1. El profesor me dice que está bien la redacción, que parece que descansé en las vacaciones y que me sentaron bien porque he empezado bien el curso.
2. El profesor me mira con una mirada lejana, incrédula, distraída. ¿Será que él también se enamoró en estas vacaciones?
3. El profesor me mira con ironía y me dice: "Todas las vacaciones son iguales, ¿verdad?".

c Elige el final que más te guste. ¿Y cuál de ellos crees que es el que escribió la autora del relato?

> El final que más me gusta es el número…
> Creo que el final original es el número…

d Pídele al profesor que te confirme cuál es el final original. ¿Es el que has dicho tú?

e Lee los textos de nuevo y busca palabras o expresiones que significan lo mismo que estas:

- redacción
- muy guapa
- de vuelta
- atención
- usar por primera vez
- sin atención

> Redacción → composición

Un poema

2
a

Lee este poema y pídele al profesor que te explique lo que no entiendas.

BIENVENIDO (O BIENVENIDA)

Bienvenido al nuevo curso,
en el que vas a aprender,
vas a hacer nuevos amigos
y te vas a enriquecer
con muy buenas experiencias.

El profesor y este libro
mucho te van a ayudar.
Con ellos, aprender, leer,
comprender, escribir y hablar
te va a ser mucho más fácil.

El profesor va a descubrir
todas tus necesidades,
dudas y dificultades,
y con el libro va a darte
justo lo que necesites.

Ambos, libro y profesor,
te van a hacer sugerencias
sobre lo que has de hacer
para que tu trabajo sea
más eficaz y rentable.

Y es que el libro ha sido escrito
teniendo siempre presente
cómo aprende el ser humano,
cómo funciona tu mente
y cómo vas a actuar.

Siempre tiene bien presente
qué es lo que se te debe dar
y qué se te puede pedir,
qué es lo que más te va a ayudar
y qué te va a ser más útil.

Además, propicia siempre
las mejores condiciones
anímicas y afectivas,
tus mejores emociones
y tu mejor actitud.

Para acabar, los consejos:
participa mucho en clase,
pide y haz aclaraciones,
escucha cuando otros hablen
y habla tú siempre que puedas.

Pierde el miedo a los errores,
arriesgarse es conveniente,
toma la palabra y habla,
pues practicando se aprende
y eso tú lo sabes bien.

CURSO DE ESPAÑOL PARA EXTRANJEROS

ELE ACTUAL

B1

Libro del alumno

Virgilio Borobio
Ramón Palencia

CD audio

sm

b   **Subraya las ideas que te parezcan más interesantes.**

c   **Díselas a tus compañeros. ¿Coinciden con las subrayadas por ellos?**

● A mí me parece muy interesante la idea de que el profesor y este libro me van a ayudar mucho y que con ellos aprender, leer, comprender, escribir y hablar me va a ser mucho más fácil. Eso me anima mucho, sobre todo ahora, al principio del curso.

○ Pues a mí me gustan mucho los versos que dicen que el libro ha sido escrito pensando qué es lo que más me va a ayudar y qué me va a ser más útil. Creo que aprender va a ser más fácil.

2

Siglo XXI.
Mundo latino

OBJETIVOS

- Hablar del futuro
- Hacer predicciones
- Expresar condiciones y sus consecuencias
- Hacer comparaciones: destacar una cosa entre varias
- Pedir y dar información cultural
- Expresar probabilidad

---

1 **Piensa cómo será la vida durante y a finales del siglo XXI y trata de responder a las preguntas.**

a

- ¿Viviremos más años?
- ¿Tendrá curación el cáncer?
- ¿Aumentará la población de la Tierra? ¿Habrá más pobres?
- ¿Emigrará mucha gente?
- ¿Trabajaremos más?
- ¿Dependeremos del petróleo tanto como ahora?

- ¿Podremos vivir en el espacio?
- ¿Seguirán existiendo los colegios? ¿Estudiarán los niños solos en casa?
- ¿Existirá un idioma en el que todos podamos comunicarnos?
- ¿Habrá más contaminación?
- ¿Habrá tantas especies animales como ahora?

b **Lee estas opiniones de expertos españoles en diferentes materias y comprueba.**

LA VIDA EN EL SIGLO XXI

"Nuestra vida será más larga. No seremos inmortales, pero llegaremos a vivir unos 120 años."

"El cáncer continuará existiendo, pero estaremos en condiciones de curarlo y nuestros nietos no morirán por su causa."

"Cada año habrá más gente en la Tierra: su poblacion aumentará a un ritmo de 77 millones de personas por año y morirá mucha gente de hambre."

"Este será el siglo de los grandes movimientos migratorios, que producirán sociedades multiétnicas."

"Llegaremos a trabajar unas 30 horas a la semana, 10 menos que en la actualidad."

"A partir de los años veinte habrá menos petróleo y utilizaremos diversas fuentes de energía. El hidrógeno será una de las más importantes."

"Hacia el año 2050 estableceremos bases, no ciudades, en la Luna. A finales de siglo colonizaremos Marte, pero el colono será un habitante de una base científica."

"Existirá la escuela virtual, se podrá estudiar por internet, pero los niños seguirán yendo al colegio."

"No existirá una lengua única, utilizada por todos. Se emplearán las que tengan una gran base demográfica y entren en el mundo de las tecnologías."

"La Tierra estará más contaminada y desaparecerán muchas especies animales."

c **¿Hay algo que te llame la atención? Díselo a tus compañeros.**

2 Como habrás observado, en el texto anterior aparece un tiempo verbal nuevo, el futuro simple. Fíjate e intenta completar este esquema con las terminaciones que faltan (puedes consultar la actividad 1).

Futuro simple

Verbos regulares

		é
TRABAJAR	trabajar-	ás
		....
SER	ser-	....
VIVIR	vivir-	éis
		....

Verbos irregulares

TENER	tendr-	
PODER	podr-	
PONER	pondr-	é
HABER	habr-	ás
SABER	sabr-	....
SALIR	saldr-	....
VENIR	vendr-	éis
HACER	har-	án
DECIR	dir-	
QUERER	querr-	

Fonética

3
a
🎧
1|8

Escucha, copia las formas verbales y marca la sílaba más fuerte.

b ¿Sabes por qué algunas llevan tilde en la última sílaba y otras no?

4 Juega al tres en raya. En grupos de tres. Por turnos, cada alumno elige una casilla y construye la correspondiente forma verbal en futuro simple. Si está bien, escribe su nombre en esa casilla. Gana quien consiga tres en raya.

jugar (usted)	decir (tú)	estar (yo)	tener (ellos)	volver (nosotras)
salir (yo)	leer (él)	hacer (ellas)	ir (tú)	poder (usted)
empezar (nosotros)	sentirse (yo)	saber (ustedes)	ponerse (él)	pedir (vosotras)
levantarse (ella)	ver (usted)	venir (nosotras)	querer (yo)	llegar (ellos)

5 **Elige cinco o seis palabras de la actividad 1 que te parezcan útiles para hablar del futuro.**

a

   Aumentar

b **Escribe con ellas frases en las que expreses cambios que tendrán lugar a lo largo del siglo XXI.**

   La población de la Tierra aumentará muchos millones de personas al año.

c **Pásaselas a tu compañero para que las corrija y te diga si piensa lo mismo que tú.**

6 **Escucha esta conversación entre Marisol y César. ¿Creen que el futuro será mejor que el presente?**

a

🎧 1|9

b **Escucha de nuevo y anota lo que entiendas en la columna correspondiente.**

🎧 1|10

	Cambios positivos	Cambios negativos
Marisol		
César		

7 **Y tú, ¿consideras que el mundo del futuro será mejor o peor? Piensa en tu respuesta y arguméntala mencionando cambios que se producirán a lo largo de este siglo.**

a

b **Díselo a tus compañeros. ¿Hay alguno que coincida contigo?**

   • Yo estoy segura de que será mejor; viviremos mejor porque...

   ○ Pues yo no estoy de acuerdo contigo; yo creo que viviremos peor porque...

c **Haced una votación para averiguar si vuestra clase es optimista o pesimista sobre el futuro.**

Condiciones y consecuencias

8 Lee estas viñetas y completa el cuadro con los nombres de los tiempos verbales que faltan.

Si comes muchos pasteles, engordarás mucho.

Si practicas el vocabulario, no lo olvidarás.

Para expresar condiciones y sus consecuencias

| Condición | Consecuencia |

Si + ..., + ...

● Si haces deporte, estarás en forma.

9 Lee las frases y asegúrate de que entiendes todo.

a

A ↓		..., vivirás mejor.	Si ayudas a la gente, ...	..., te divertirás mucho.
Si te vas a vivir fuera de la ciudad, ...		Si me cuentas un buen chiste, ...		Si escuchas mucho español, ...
..., aprenderás mucho español.		..., aprobarás los exámenes.		..., tendrás muchos amigos.
Si te casas, ...		Si vas a España, ...		Si tomas alimentos sanos, ...
..., tendrás mucho tiempo libre.		..., adelgazarás.		..., te sentirás muy bien.
Si tienes muchos amigos, ...	..., me enfadaré.	Si no descansas lo suficiente, ...		**B** ↑

b En parejas (alumno A y alumno B). Juega con una ficha de color diferente a la de tu compañero. Empieza en la casilla que te corresponda.

c Por turnos. Avanza una casilla y completa aquella a la que llegues con una condición o una consecuencia apropiada (si tu compañero ya ha dicho una, la tuya debe ser diferente). Si no está bien, pierdes un turno. Gana el que llegue antes al otro extremo.

Alumno A: Si te vas a vivir fuera de la ciudad, *vivirás más tranquilo*.
Alumno B: *Si haces bien esta actividad*, te sentirás muy bien.

Geografía física y humana

 10
a

Observa estos recuadros. Luego, lee las frases y escribe los nombres correspondientes.

LOS CINCO PAÍSES MÁS GRANDES (KILÓMETROS CUADRADOS)	
Rusia	17 075 400
Canadá	9 976 139
China	9 596 961
EE. UU.	9 372 614
Brasil	8 511 965

LOS CINCO PAÍSES MÁS PEQUEÑOS (KILÓMETROS CUADRADOS)	
El Vaticano	0,44
Mónaco	2
Nauru	21
Tuvalu	26
San Marino	61

LOS CINCO PAÍSES MÁS POBLADOS (POBLACIÓN APROXIMADA)	
China	1 347 565 000
India	1 241 492 000
EE. UU.	313 085 000
Indonesia	242 326 000
Brasil	196 655 000

LAS CINCO MONTAÑAS MÁS ALTAS (METROS)	
Everest (Nepal, Tíbet)	8848
K2 (Godwin Austin) (India, Pakistán)	8610
Kangchenjunga (India, Nepal)	8538
Makalu (Nepal, Tíbet)	8481
Dhaulagiri (Nepal)	8172

LOS CINCO RÍOS MÁS LARGOS (KILÓMETROS)	
Nilo (África)	6670
Amazonas (Suramérica)	6448
Chang Jiang (China)	6300
Misisipi (EE. UU.)	6020
Yenisei (Rusia)	5540

LAS CINCO CIUDADES MÁS POBLADAS (POBLACIÓN APROXIMADA)	
Tokio (Japón)	33 800 000
Seúl (Corea del Sur)	23 900 000
Ciudad de México (México)	22 900 000
Delhi (India)	22 400 000
Bombay (India)	22 300 000

1. Es la montaña más alta del mundo.
   El (monte) Everest.
   ....

2. Es la segunda ciudad más poblada del mundo.
   ....

3. Es uno de los ríos más largos del mundo.
   ....

4. Es el quinto país más grande del mundo.
   ....

5. Es uno de los países más pequeños del mundo.
   ....

6. Es el río más largo del mundo.
   ....

7. Es el país americano que tiene más habitantes.
   ....

8. Es una de las ciudades asiáticas que tiene más
   habitantes. ....

9. Es casi igual de alto que el monte Everest.
   ....

b **Fíjate.**

Para hacer comparaciones y destacar una cosa entre varias

- **La** ciudad / segunda ciudad **más** poblada **del** mundo.
- **Una de las** ciudades **más** pobladas **del** mundo.
- **La** ciudad asiática **que** tiene **más** habitantes.
- **Una de las** ciudades asiáticas **que** tiene **más** habitantes.

c **Mira los recuadros del apartado a) y escribe cinco frases con informaciones verdaderas o falsas.**

China es el segundo país más grande del mundo.

d **Díselas a tu compañero para que confirme si son verdaderas o falsas.**

Doce preguntas sobre el mundo latino

11 Lee estas preguntas y señala las respuestas que conozcas o que creas conocer.

a

1. ¿Qué capital latinoamericana es la más alta del mundo?
   - ☐ Lima
   - ☐ La Paz
   - ☐ Quito

2. ¿Cuál es el lugar más seco del planeta?
   - ☐ El sureste de Andalucía (España)
   - ☐ La Pampa argentina
   - ☐ El desierto de Atacama (Chile)

3. ¿Cuál es el país de habla hispana más poblado?
   - ☐ México
   - ☐ Colombia
   - ☐ España

4. ¿Cuáles de estos países tienen un porcentaje más alto de población indígena?
   - ☐ Bolivia y Guatemala
   - ☐ México y Perú
   - ☐ Ecuador y Honduras

5. ¿En qué país está la catedral más grande del mundo?
   - ☐ En Uruguay
   - ☐ En España
   - ☐ En Chile

6. ¿En cuál de estos países está la pirámide más grande del mundo?
   - ☐ En Guatemala
   - ☐ En Perú
   - ☐ En México

7. ¿Qué nación latinoamericana tiene una Constitución que no permite la existencia de un ejército nacional?
   - ☐ Costa Rica
   - ☐ Paraguay
   - ☐ Nicaragua

8. ¿Cuál es el país latinoamericano que produce más café, la bebida más popular del mundo?
   - ☐ Brasil
   - ☐ Cuba
   - ☐ Colombia

9. ¿En qué país están las ruinas de Machu Picchu?
   - ☐ En Ecuador
   - ☐ En Perú
   - ☐ En Bolivia

10. ¿En cuál de estos países está el Aconcagua, el pico más alto de los Andes?
    - ☐ En Uruguay
    - ☐ En Argentina
    - ☐ En la República Dominicana

11. ¿Por qué países latinoamericanos pasa el río Amazonas?
    - ☐ Por Colombia y Venezuela
    - ☐ Por Colombia y Panamá
    - ☐ Por Perú, Colombia y Brasil

12. ¿En cuáles de estos países está el lago navegable más alto del mundo?
    - ☐ En Ecuador y Perú
    - ☐ En Bolivia y Perú
    - ☐ En Honduras y El Salvador

b Lee y asegúrate de que entiendes todo.

- ¿Qué capital latinoamericana es la más alta del mundo?
  - ○ La Paz (, ¿verdad?).
  - ○ No estoy seguro, pero creo que es La Paz.
  - ○ No sé, será la Paz.

Futuro de probabilidad

- ¿Cuál es el lugar más seco del planeta?
  - ○ No sé, **será** el desierto de Atacama.

c Ahora comenta las respuestas con tu compañero. Decidid entre los dos las que puedan corresponder a las preguntas que no hayáis respondido.

El lugar más seco del mundo está en el norte de Chile: en el desierto de Atacama.

La Paz, capital de Bolivia, es la capital más alta del mundo; está a 3661 metros sobre el nivel del mar.

La catedral más grande del mundo tiene 116 metros de largo por 76 de ancho. Es la de Sevilla (España).

México, con sus más de 100 millones de personas, es el país hispanoamericano que tiene más habitantes.

La mayor pirámide del mundo no está en Egipto, sino en Cholula (México). Es la de Quetzalcóatl. Su base ocupa una superficie de 18,2 hectáreas y tiene una altura de 54 metros.

El río Amazonas, el más caudaloso del planeta y el segundo más largo, atraviesa varios países latinoamericanos: Perú, Colombia y Brasil. Sus afluentes pasan por esos países y por Bolivia, Ecuador, Venezuela y Guyana. La selva amazónica ocupa territorios de todos esos países.

La cordillera de los Andes es la más larga del mundo, con 7200 kilómetros. Su pico más elevado se encuentra en Argentina y tiene una altura de 6960 metros.

La Constitución de Costa Rica es la única del mundo que prohíbe que el país tenga un ejército nacional.

Se calcula que el 60 % de los habitantes de Bolivia y Guatemala son indios, y ese porcentaje es el mayor de Hispanoamérica.

El Titicaca es el lago navegable más alto del mundo (3800 metros sobre el nivel del mar). Está en la frontera de Bolivia con Perú, en territorio de los dos países.

Las ruinas de Machu Picchu fueron construidas en el siglo XV por los incas. Se hallan en el sur de Perú y la Unesco las declaró Patrimonio de la Humanidad en 1983.

Latinoamérica produce las dos terceras partes del café que se consume en todo el planeta. Brasil es, con el 30 %, el primer país productor; el segundo es Colombia.

e — ¿Qué informaciones te han sorprendido más? Díselas a tus compañeros.

12
a Lee de nuevo las preguntas de la actividad 11a. Fíjate en cómo se han utilizado los interrogativos *qué*, *cuál* y *cuáles*: ¿alguno de ellos no va seguido de un sustantivo?

b Observa los recuadros de la actividad 10a y escribe varias preguntas sobre ellos incluyendo esos interrogativos.

¿Cuál de estos países es el más poblado de América: Brasil o Estados Unidos?

c Cierra el libro y formúlaselas a tu compañero para comprobar si tiene buena memoria.

¿Sabes cuál de estos países es el más poblado de América: Brasil o Estados Unidos?

13

a

🎧 1|11

Un oyente ha escrito parte de las preguntas de un concurso de radio sobre geografía de Hispanoamérica. Escucha la grabación y completa las preguntas.

- ¿Por cuál de estos países suramericanos no pasan ....: Chile, Argentina o Uruguay?

- ¿En qué país está la catedral .... de Hispanoamérica?

- ¿En qué país están .... de Tikal?

- ¿Cuál de estos lagos es .... de Hispanoamérica: el lago Nicaragua, el Titicaca o el lago Maracaibo?

- ¿Cuál es el país .... de Hispanoamérica?

b

🎧 1|12

Escucha de nuevo y comprueba.

c Hazles las preguntas a tus compañeros y anota las respuestas.

¿Sabes en qué país...?

d

🎧 1|13

Escucha la segunda parte del concurso y comprueba las respuestas. ¿Las sabías?

14 En grupos de tres. Vais a elaborar un cuestionario de diez preguntas sobre el mundo latino, vuestro país u otros que conozcáis. Seguid estos pasos:

a Decidid sobre qué temas vais a hacer las preguntas, redactadlas y ponedle un título al cuestionario.

b Jugad con otro grupo: haced vuestras preguntas y responded a las suyas. Tenéis 30 segundos para acordar cada respuesta. Anotaos un punto por cada respuesta correcta.

c Pasadle al otro grupo el cuestionario redactado en a) y corregid el suyo. Restadle medio punto por cada error.

Recuerda

COMUNICACIÓN

Hablar del futuro. Hacer predicciones

- La población de la Tierra aumentará mucho durante el siglo XXI.

GRAMÁTICA

Futuro simple. Verbos regulares e irregulares

(Ver resumen gramatical, apartado 1.6)

COMUNICACIÓN

Expresar condiciones y sus consecuencias

- Si haces mucho deporte, adelgazarás.

GRAMÁTICA

Si + presente de indicativo, + futuro simple

(Ver resumen gramatical, apartado 6)

COMUNICACIÓN

Hacer comparaciones: destacar una cosa entre varias

- Ciudad de México es la ciudad americana más poblada.
- Ciudad de México es una de las ciudades más grandes del mundo.

GRAMÁTICA

Superlativo relativo

(Ver resumen gramatical, apartado 7)

COMUNICACIÓN

Pedir y dar información cultural

- ¿(Sabes) Cuál es la capital más alta del mundo?
- ¿Cuál de estos ríos es más largo: el Nilo o el Amazonas?
- ¿Por qué países pasa el Amazonas?
- El lago Titicaca está a 3800 metros de altura.

GRAMÁTICA

Interrogativos: *¿qué?-¿cuál/cuáles?*

(Ver resumen gramatical, apartado 8)

Preposición + interrogativo

(Ver resumen gramatical, apartado 9)

COMUNICACIÓN

Expresar probabilidad

- ¿Cuál es el país de habla hispana más poblado?
- No sé, será México.

GRAMÁTICA

Futuro de probabilidad

(Ver resumen gramatical, apartado 1.6)

La papa: de los Andes a todo el mundo

1 **Responde a estas preguntas.**

a
- ¿Sabes qué es una papa?
- ¿Dónde se usa esa palabra?
- ¿Qué otra palabra significa lo mismo?

b **Lee este texto para comprobar tus respuestas.**

BREVE HISTORIA DE LA PAPA

La papa, o patata, como se la conoce en España, es originaria de los Andes, donde se comenzó a cultivar hace unos 5000 años porque resistía las bajas temperaturas de las montañas. Para los incas era tan importante que tenían una diosa con forma de patata, Papamama, a la que adoraban.

Parece que los españoles introdujeron la papa en Europa en el siglo XVI, pero su consumo no se popularizó hasta el siglo XVIII. Un hospital de Sevilla fue el primer lugar europeo en el que se utilizó para alimentar a personas. En aquella época se pensaba que solo servía para curar enfermedades.

Después llegó a otros países, entre ellos Francia. Fue precisamente un farmacéutico y botánico francés, Antoine Auguste Parmentier,

quien la popularizó en el siglo XVIII; escribió varias publicaciones sobre ella y le regaló una planta de papa al rey Luis XVI asegurándole que allí estaba el secreto para evitar el hambre de su país. Y así fue; la producción y el consumo generalizados de ese vegetal no solo remediaron el hambre en Francia, sino en toda Europa. Desde entonces ha sido un alimento fundamental en el Viejo Continente.

Entre 1845 y 1851, una enfermedad destruyó las plantas de patata en Irlanda. Las consecuencias fueron catastróficas: un millón de irlandeses murió de hambre y otro millón tuvo que emigrar. En la actualidad sigue siendo un alimento básico en la lucha contra el hambre, y su producción y consumo están aumentando en muchas partes del Tercer Mundo.

c **Completa con las palabras adecuadas.**

El ser humano empezó a consumir patatas en ...., hace varios miles de años. En el siglo XVI, los .... las llevaron a España. En aquella época la gente no pensaba que era un .... que se podía tomar en las comidas. .... fue el país donde se generalizó su consumo .... siglos más tarde. Posteriormente sirvió para solucionar el problema del .... en Europa; actualmente se usa con el mismo fin en ....

2 **Relaciona las preguntas con las respuestas.**

a

1. ¿Se comen muchas papas en la actualidad?	A. Unas 5000. Muchas de ellas son silvestres y se crían en los Andes.
2. ¿Cuántas variedades de papas existen?	B. Sí, es el segundo alimento más consumido del mundo; el primero es el arroz.
3. ¿Engordan mucho?	C. En las cuatro estaciones, pero sus cualidades no son las mismas en todas las épocas del año.
4. ¿En qué época del año se recolectan?	D. En principio, no, pero depende de la forma de cocinarlas.
5. ¿Deben congelarse?	E. No, porque las bajas temperaturas transforman el almidón en azúcar y cambian de sabor.

b **Comenta con la clase las informaciones más curiosas o interesantes que hayas descubierto en las actividades 1 y 2. ¿Puedes añadir tú alguna otra?**

3 **Lee este fragmento de un poema de Pablo Neruda.**

a

ODA A LA PAPA

Papa
te llamas,
papa
y no patata,
no naciste con barba,
no eres castellana:
eres oscura
como
nuestra piel,
somos americanos,
papa,
somos indios.

PABLO NERUDA: *Odas elementales*.

b **Piensa en las respuestas a estas preguntas y luego coméntalas con la clase.**

- ¿Menciona Neruda alguna característica física de personas que no son indios? ¿A quiénes se refiere?
- ¿Y alguna característica de los indios?
- ¿Cuál es la idea principal que quiere expresar el autor?

Una canción: *Un año de amor*

1 **Asegúrate de que entiendes estos cuatro versos de una canción. ¿Piensas que será una canción alegre o**
a **triste? ¿De qué crees que tratará?**

- Si ahora tú te vas, no recuperarás
- Recordarás el sabor de mis besos
- Que los días son eternos y vacíos sin mí
- Y entenderás en un solo momento

b **Lee la letra incompleta y comprueba las respuestas dadas a las preguntas anteriores. Pregúntale al**
profesor el significado de las palabras nuevas.

UN AÑO DE AMOR

Lo nuestro se acabó y te arrepentirás
de haberle puesto fin a un año de amor.
Si ahora tú te vas, pronto descubrirás

....

Y de noche, por no sentirte solo,
recordarás nuestros días felices,

....
....

qué significa un año de amor.

¿Te has parado a pensar lo que sucederá,
todo lo que perdemos y lo que sufrirás?

....

los momentos felices que te hice vivir.

Y de noche, por no sentirte solo,
recordarás nuestros días felices,

....
....

qué significa un año de amor.

Compuesta por M. Ferrer y G. Verlor
Texto en español Pedro Almodóvar.

c **Ahora complétala con los versos de a)**
(dos de ellos se repiten).

d **Escucha la canción y comprueba.**
1|14

e **Escúchala de nuevo y lee la letra.**
1|15 **Luego, comenta con tus compañeros:**

- Lo que ha pasado o puede pasar.
- Las consecuencias que menciona la chica.

- Lo que ha pasado es que…
  - Si él deja a la chica…

Gente sorprendente

2 En parejas (alumno A y alumno B). Lee los textos incompletos que te correspondan y asegúrate de que entiendes todo. Luego, hazle a tu compañero las preguntas necesarias para completarlos.

Alumno A ¡No leas los textos del Alumno B!

Lucky Diamond Rich es una de las personas más tatuadas del mundo y ha tenido más de .... sesiones de tatuaje. Tiene tatuado todo el cuerpo, incluyendo partes tan delicadas como las encías. Lleva varias capas de tatuajes y se podría decir que el porcentaje de piel tatuada supera el 200 %.

La mujer que ha tenido más hijos en toda la historia era rusa, la señora Vassilet, que vivió de 1816 a 1872. De las .... veces que se quedó embarazada, en 16 ocasiones tuvo gemelos, ... veces dio a luz trillizos y en 4 ocasiones tuvo cuatrillizos. Nunca dio a luz un hijo solo. Otra cosa sorprendente es que sobrevivieron .... de sus 69 hijos, todo un récord en aquella época.

La persona más alta de la historia medía .... Sus manos tenían una longitud de 32,30 centímetros y sus pies medían .... Se llamaba Robert Wadlow y murió en 1940 a los 22 años debido a un problema que tuvo con uno de sus pies, después de participar en una marcha de promoción de la marca que le hacía los zapatos.

La señora china Xie Qiuping, que mide 1,60 metros, es una de las mujeres que tiene el pelo más largo del mundo. Cuando se lo midió oficialmente, su cabello tenía una longitud de .... metros y no se lo había cortado en los 31 años anteriores. Un coleccionista le ofreció 78 000 dólares por su melena y ella los rechazó.

¿Cuántas sesiones de tatuaje ha tenido Lucky Diamond Rich?

Alumno B ¡No leas los textos del Alumno A!

Lucky Diamond Rich es una de las personas más tatuadas del mundo y ha tenido más de 1000 sesiones de tatuaje. Tiene tatuado todo el cuerpo, incluyendo partes tan delicadas como las encías. Lleva varias capas de tatuajes y se podría decir que el porcentaje de piel tatuada supera el ....

La mujer que ha tenido más hijos en toda la historia era rusa, la señora Vassilet, que vivió de 1816 a 1872. De las 27 veces que se quedó embarazada, en .... ocasiones tuvo gemelos, 7 veces dio a luz trillizos y en .... ocasiones tuvo cuatrillizos. Nunca dio a luz un hijo solo. Otra cosa sorprendente es que sobrevivieron 67 de sus 69 hijos, todo un récord en aquella época.

La persona más alta de la historia medía 2,72 metros. Sus manos tenían una longitud de .... centímetros y sus pies medían 47 centímetros. Se llamaba Robert Wadlow y murió en 1940 a los .... años debido a un problema que tuvo con uno de sus pies, después de participar en una marcha de promoción de la marca que le hacía los zapatos.

La señora china Xie Qiuping, que mide .... , es una de las mujeres que tiene el pelo más largo del mundo. Cuando se lo midió oficialmente, su cabello tenía una longitud de 2,42 metros y no se lo había cortado en los 31 años anteriores. Un coleccionista le ofreció .... dólares por su melena y ella los rechazó.

3 Juego de memoria. Cierra el libro y escribe informaciones de esos textos. Luego, comprueba con tu compañero si tienes más frases correctas que él.

3

¿Cómo conociste a tu mejor amigo?

OBJETIVOS

- Hacer definiciones
- Hablar del pasado
- Describir la situación o las circunstancias en las que se produjo un hecho
- Narrar hechos pasados
- Expresar la causa

1
a
Lee estas opiniones de varias personas sobre lo que es un amigo o una amiga y asegúrate de que las entiendes.

Un amigo es una persona que me ayuda cuando lo necesito.

Un amigo es una persona que piensa como yo y tiene los mismos intereses y aficiones que yo.

Una amiga es una persona que se alegra si estoy bien y sufre si estoy mal.

Una amiga es una persona que me conoce bien, me acepta como soy y me quiere.

Yo soy muy sincera con mis amigas; cuando estoy con ellas, pienso en voz alta.

Un amigo es alguien en quien confío totalmente. Es alguien a quien conozco muy bien y sé que puedo confiar en él.

Un amigo es alguien que me da mucho y no me pide nada. Me ayuda y no me pide nada a cambio.

Un amigo es una persona que me quiere aunque conoce mis defectos.

b ¿Con cuál de las anteriores opiniones te identificas más?

Yo también pienso que un amigo es...

2 **Fíjate.**

Relativos para referirse a personas

Que

- Un amigo es | una persona | **que** me ayuda cuando lo necesito.
  | alguien |

Preposición + *quien*

- Un amigo es | alguien | **en quien** confías totalmente.
  | una persona |

3 **¿Estás de acuerdo con estas afirmaciones? Márcalo.**

Un amigo es...

	De acuerdo	En desacuerdo
... una persona que solo te dice las cosas buenas sobre ti.	☐	☐
... alguien a quien conoces perfectamente.	☐	☐
... alguien con quien solo compartes los momentos buenos; en los momentos malos prefieres estar solo.	☐	☐
... una persona que también es amiga de tus amigos.	☐	☐
... alguien a quien le cuentas todos tus problemas.	☐	☐
... una persona a quien quieres mucho.	☐	☐
... alguien con quien siempre te lo pasas bien.	☐	☐

4 **En parejas. Decidid qué es un amigo para vosotros y escribidlo.**

a

Un amigo es...

... alguien que te dice lo que piensa de ti, las cosas buenas y las cosas malas.

b **Colocad vuestro texto en la pared y leed los de vuestros compañeros. Si no entendéis algo, pedidles que os lo expliquen.**

¿Cómo conociste a tu mejor amigo?

5
a
Lee estas palabras y expresiones y pregúntale al profesor qué significan las que no entiendas.

- hacerse amigos
- ofrecer
- caerse bien
- hacer cola
- sobrar
- entrada

b Cuenta lo que está pasando en el dibujo utilizando al menos tres expresiones del apartado a).

c Ahora lee las diferentes partes de esta historia y decide con tu compañero cuál es el orden correcto.

A Yo se la compré y entré en el cine. Como las entradas estaban numeradas, me senté a su lado.

B Pues yo conocí a Hugo, mi mejor amigo, de una forma curiosa, cuando estaba haciendo el primer curso de Periodismo.

C Me explicó que le sobraba una porque una amiga suya tenía un problema y no podía ir al cine.

D Una tarde fui al cine solo y, cuando estaba haciendo cola para sacar la entrada, llegó un chico que no conocía y me ofreció una entrada.

E Cuando terminó la película nos pusimos a comentarla, tomamos un café juntos y la verdad es que nos caímos muy bien.

F Luego nos vimos varias veces los meses siguientes y en poco tiempo nos hicimos muy amigos.

1. B....... 2. ...... 3. ...... 4. ...... 5. ...... 6. ......

d Lee la historia de nuevo y responde a las siguientes preguntas.

1. ¿Dónde conoció esa persona a su mejor amigo?

2. ¿A qué se dedicaba en aquella época?

3. ¿Qué estaba haciendo cuando vio por primera vez a Hugo?

4. ¿Qué hizo Hugo cuando llegó?

5. ¿Qué hicieron cuando terminó la película?

6. ¿Qué impresión se causaron los dos?

7. ¿Tardaron mucho en hacerse amigos?

6 Fíjate.

a

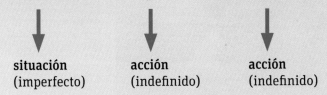

Describir la situación o las circunstancias en las que se produjeron ciertos hechos pasados

Imperfecto de *estar* + gerundio

- **Estaba haciendo** cola, **llegó** un chico y me **ofreció** una entrada.

situación (imperfecto) acción (indefinido) acción (indefinido)

b Completa este texto con las formas verbales apropiadas.

Hugo fue a la cola del cine para vender la entrada que no necesitaba. Vio a un chico que ....
.... (esperar) para comprar una entrada y se la .... (ofrecer). Después de ver la
película, ... (ir) los dos a un bar, ... (hablar) de ella y se ....
(caer) muy bien. El chico le dijo que era estudiante y que .... (hacer) Periodismo.

7 Fíjate.

a

Expresar la causa

Porque + causa

- Se hicieron muy amigos **porque** tenían muchos intereses comunes.

Como + causa

- **Como** tenían muchos intereses comunes, se hicieron muy amigos.

b Expresa estas ideas de otra forma. Haz las transformaciones necesarias.

- Vendió una entrada porque su amiga no fue al cine. → Como ....
- Fueron a tomar un café porque querían continuar hablando. → ....
- Como no tenían hambre, no comieron nada. → ....
- Volvieron a casa tarde porque estuvieron mucho rato en el bar. → ....
- Como se cayeron muy bien, se vieron a la semana siguiente. → ....

8 **Estas frases se pueden utilizar para hablar del principio de una relación. Complétalas con las palabras que**
a **hay debajo para reconstruir la historia de las personas de la fotografía.**

Nos conocimos hace…

Al día siguiente volvimos a…

Carlos me pareció una persona muy…

Me cayó muy…

Nos presentó un…

Entonces me di cuenta de que sentía…

algo especial por él

simpática   bien   dos años   vernos   amigo común

b **Ahora escribe cómo se conocieron esas dos personas. Haz los cambios necesarios.**

Se conocieron…
Los presentó…
(A Beatriz) Carlos le pareció…

9 **En parejas. Utilizad estas ideas y la información de la imagen para escribir cómo conoció Estrella a**
a **Juan, su marido. Podéis empezar algunas frases así:**

- En aquella época…
- Un día…
- (A Estrella, Juan) Le pareció/cayó…
- Se dio cuenta de que…

☐ hace cinco años
☐ estudiar
☐ compartir piso con un compañero de clase
☐ invitar a comer
☐ verse la primera vez, estar haciendo la comida
☐ pantalones negros y camisa roja
☐ paella
☐ persona interesantísima
☐ caer muy bien
☐ volver a verse
☐ sentir algo especial
☐ enamorarse

     Estrella conoció a Juan…

b **Contad vuestra versión de la historia a otra pareja y averiguad si hay muchas diferencias con lo que**
han pensado ellos.

c **Escuchad lo que dice Estrella y comprobad si la información coincide con la vuestra.**

🎧
1|16

10 Mira estos dibujos en los que dos personas se conocen y elige la expresión correspondiente a cada
a situación.

coincidir (en un viaje)   presentar   chocarse   invitar (a bailar)

b ¿Has conocido a alguien de alguna de esas maneras? Coméntaselo a tus compañeros.

c Escucha a dos personas diciendo cómo conocieron a su novia y a su mejor amiga. Elige la ilustración
correspondiente de a).
1|17

d Vuelve a escuchar y completa las frases con la información correspondiente.

1|18
- Jaime conoció a su novia ....
- Cuando iba a salir ....
- Como era muy simpática ....

- Juana conoció a su mejor amiga ....
- Coincidieron en ....
- Le pareció ....
- Como las dos ....
- Juana sugirió ....

11 Vas a contarle a un compañero cómo conociste a tu novio o novia o a tu mejor amigo o amiga. Antes,
a prepara lo que vas a decir; puedes tomar nota de las palabras y frases que te parezcan difíciles.

b Ahora cuéntale tu historia a un compañero y escucha la suya. ¿Has conocido tú alguna vez a alguien
de esa forma?

Estrategias de aprendizaje: aprender de los errores

12 a Asegúrate de que conoces el significado de la palabra *investigador*. Luego, lee este cuento de Rodari y observa los dibujos. Puedes usar el diccionario.

El gran inventor

Había una vez un joven que soñaba con llegar a ser un gran inventor. Estudiaba día y noche, estudió varios años, y finalmente escribió en su diario personal:

"Ya he estudiado bastante. Soy ya un *himbestigador*, y demostraré mi gran valía".

Comenzó de inmediato a hacer experimentos y llegó a inventar los agujeros del queso. Pero pronto supo que ya habían sido inventados.

Volvió a comenzar desde el principio. Estudiaba mañana y tarde, estudió muchos meses, y finalmente escribió en su diario:

"Ya es suficiente. Ahora soy de verdad un *imbestigador*. El mundo verá lo que soy capaz de hacer".

Y en efecto el mundo pudo ver: inventó los agujeros en el paraguas y fue el hazmerreír de todos.

Pero él no se desanimó, volvió sobre los libros, rehízo experimento tras experimento, y finalmente escribió en su diario:

"Bien, ahora estoy seguro de no equivocarme. Ahora soy un *inbestigador* en serio".

En cambio era ahora un *inbestigador* con una pequeña falta. Inventó una nave que viajaba impulsada por pintura al pastel, costaba demasiado y coloreaba todo el mar.

—No me detendré por ello —se dijo el buen joven, que ya comenzaba a tener canas.

Estudió, estudió y estudió tanto que llegó a ser un *investigador* con todas las letras en su puesto, y así pudo inventar todo lo que quiso. Inventó un vehículo para viajar a la Luna, un tren que solo consumía un grano de arroz cada mil kilómetros, los zapatos que no se gastan nunca, y muchas otras cosas.

Pero el sistema de llegar a ser *investigadores* y científicos sin cometer errores no llegó a inventarlo ni siquiera él, y tal vez no se invente nunca.

GIANNI RODARI: "El gran inventor", *El libro de los errores*.

b Piensa en las respuestas a estas preguntas y luego coméntalas con la clase.

- ¿Qué errores ortográficos hay en el texto? ¿Qué representan?
- ¿Pudo esa persona llegar a ser investigador sin cometer errores en su trabajo?
- ¿Es posible eso según el texto?
- ¿Cuál es la idea principal que quiere expresar Rodari? ¿Estás de acuerdo con ella?
- ¿Se puede aplicar al aprendizaje de una lengua extranjera?
- ¿Crees que se puede aprender de los errores? ¿Cómo?

13 **Corrige estos errores.**

a

> vi
> El otro día ~~veía~~ a Alejandro.
> Anoche iba al cine.
> El domingo me levantaba bastante pronto.

> que
> Un amigo es una persona ~~quien~~ me
> acompaña en los momentos malos.
> Los amigos son personas quienes saben
> escuchar.
> Una amiga es una persona quien no me
> juzga ni me critica.

> llevaba
> Cuando nos conocimos, ~~llevé~~ barba.
> La última vez que te vi, estuviste muy morena.
> Los zapatos rojos que llevabas fueron preciosos.

> hace
> Vivo en esta casa desde ⌄ cinco años.
> Estudio japonés desde dos años.
> Estoy de vacaciones desde tres días.

> estábamos
> Cuando sonó el teléfono, ~~estuvimos~~
> durmiendo.
> Cuando llegamos, estuvieron cenando.
> Cuando me llamaste, estuve duchándome.

b **Compara tus correcciones con las de tu compañero.**

> • Aquí hay un error. No se dice…, se dice…
> (porque…)
> ○ Sí, es verdad.
> ○ Pues yo creo que está bien (porque…)

c **Escribe otras frases que te parezcan difíciles y pásaselas a tu compañero para que las corrija.**

14 **Explica en un texto cómo conociste a una persona.**

a

> Conocí a mi mejor amiga en la universidad.
> Yo estaba…

b **Intercámbialo con un compañero y corrige el suyo.**

c **Comentad los errores. ¿Estáis de acuerdo?**

Recuerda

COMUNICACIÓN

Hacer definiciones

• Para mí, un amigo es una persona que me escucha y me ayuda cuando lo necesito.

GRAMÁTICA

Relativos para referirse a personas

Que

• Un amigo es una persona que me quiere aunque conoce mis defectos.

Preposición + *quien*

• Un amigo es alguien en quien confías totalmente.
(Ver resumen gramatical, apartado 10)

COMUNICACIÓN

Describir la situación o las circunstancias en las que se produjo un hecho

• Estaba esperando en la cola y un chico me ofreció una entrada.
• Nos conocimos cuando estábamos estudiando.

GRAMÁTICA

Imperfecto-indefinido
Imperfecto de *estar* + gerundio
(Ver resumen gramatical, apartado 2.3.1)

Pronombres personales con verbos recíprocos:
conocerse, hacerse, caerse, darse
(Ver resumen gramatical, apartado 11)

COMUNICACIÓN

Narrar hechos pasados

• Cuando terminó la película, fuimos a un bar a tomar algo.

GRAMÁTICA

Pretérito indefinido
(Ver resumen gramatical, apartado 2.3.2)

Oraciones temporales
(Ver resumen gramatical, apartado 4)

COMUNICACIÓN

Expresión de la causa

• Volví pronto a casa porque estaba muy cansada.
• Como estaba muy cansada, volví pronto a casa.

GRAMÁTICA

Porque-como
(Ver resumen gramatical, apartado 12)

Etnias en Latinoamérica: los indios

1 **Comenta con la clase las respuestas a estas preguntas:**

a
- ¿Sabes por qué se utiliza la palabra *indio* para referirse a parte de los habitantes de Latinoamérica?
- ¿Sabes que es debido a un error de Cristóbal Colón? ¿En qué pudo consistir?

b **Lee este texto y averigua el significado de las palabras que desconozcas.**

LOS INDIOS EN LATINOAMÉRICA

Actualmente se conoce la existencia de unas 400 etnias indias en Latinoamérica. Muchas tienen muy pocos miembros y están en peligro de desaparición; por el contrario, una decena de ellas reúne a buena parte de la población indígena, especialmente los grupos quechua y aymara de los Andes, quiché de Guatemala y náhuatl de México.

Aunque no tenemos cifras oficiales, se calcula que en América Latina hay entre 30 y 40 millones de indígenas. En algunos países esta población es mayoritaria; ese es el caso de Bolivia, Perú, Ecuador o Guatemala.

Muchos de ellos viven y trabajan en grandes propiedades agrícolas; otros habitan en comunidades localizadas por lo general en las regiones menos prósperas, donde la vida no es fácil, y todavía usan los instrumentos laborales más tradicionales. Sus tierras son para ellos signo de prestigio y progreso; suelen estar en las montañas, que les protegen de los invasores y les permiten desarrollar su cultura.

La población indígena ha sido marginada durante siglos, pero en las últimas décadas han destacado personas que han alcanzado importantes logros y el reconocimiento internacional, como Rigoberta Menchú, premio nobel de la paz en 1992. También se han creado organizaciones que reivindican una serie de valores de las culturas indígenas, como la defensa de su identidad original y de su cultura, el derecho a la tierra, la autogestión, el reconocimiento de las lenguas indígenas y el derecho a la enseñanza bilingüe.

JACQUELINE COVO: *América Latina*.
VV. AA.: *Iberomérica, una comunidad*.

c **Selecciona algunas informaciones del texto y escribe preguntas sobre ellas.**

¿Cuántos millones de indios se calcula que viven en Latinoamérica?

d **Hazle las preguntas a un compañero para comprobar si ha entendido el texto.**

e **Comenta con la clase las informaciones que te hayan parecido más interesantes (y otras que sepas sobre el tema).**

f **Piensa en las respuestas a estas preguntas y explícaselas a la clase.**

- ¿Conoces alguna organización o algún movimiento político comprometido con la defensa de los derechos de los indios?
- ¿Últimamente has leído o escuchado en los medios de comunicación alguna noticia relacionada con los indios? ¿De qué trataba?

Opiniones sobre la amistad

1
a **Lee estas opiniones incompletas sobre la amistad y asegúrate de que las entiendes.**

" La amistad es una cualidad humana que está dispuesta a ver solamente la parte .... de una persona. "

Manuel Vicent, escritor

" La esencia de la amistad es desear .... del otro. "

Emilio Lledó, filósofo y académico

" Un amigo realmente sólido es quien quiere y .... lo mismo que uno. "

Antonio Martínez Sarrión, poeta

" La confianza es el elemento básico de la amistad y de la vida civil, sin confianza no se puede .... "

José Luis Gómez, actor y director de teatro

" Aquel que tiene muchos amigos no tiene ningún .... "

Aristóteles, filósofo griego

" Un amigo es alguien con quien existe una mutua comprensión, o confianza, con el que no tienes por qué intercambiar .... "

Gonzalo Suárez, director de cine y escritor

" Los suspiros duran un segundo;
las quincenas, dos semanas;
las primaveras, tres ....;
los compañeros, cuatro, cinco, seis ....;
los amores, desde una estrella fugaz
hasta siete eternidades.
Solamente un amigo puede durar toda
la .... "

Lisi F. Prada, psicoanalista

" Un amigo es aquel al que te atreves a pedirle .... a las cuatro de la madrugada y él no te pregunta para qué lo quieres. "

Manuel Vicent, escritor

El País Semanal

b **Complétalas con estas palabras.**

- el bien - vida - dinero - positiva - rechaza - meses - convivir - palabras - años - amigo

c **¿Con cuál de esas opiniones se identifica más la clase? Haced una votación para elegir una. Luego, decidid quién la escribirá en una hoja para ponerla en una pared del aula.**

2 **En parejas**

a **Alumno A: Mira el dibujo y escribe a lápiz uno de estos nombres al lado de cada una de las personas. Luego, responde a las preguntas del compañero.**

Susana   Ignacio   Paula   Ángela   Daniel   Juan   Marta   Marcos   Julián   Beatriz   Rubén   Carmen

Alumno B: Pregunta a tu compañero qué estaba haciendo cada una de estas personas cuando volvió ayer el jefe al trabajo después de una comida de negocios y escribe el nombre correspondiente al lado de cada persona del dibujo.

Susana   Ignacio   Paula   Ángela   Daniel   Juan   Marta   Marcos   Julián   Beatriz   Rubén   Carmen

¿Qué estaba haciendo Susana cuando volvió ayer el jefe al trabajo?

b **Comprobad. Luego, borrad los nombres y cambiad de papel para realizar de nuevo la actividad.**

3 **¿Cómo crees que reaccionó el jefe? ¿Qué hizo cuando vio aquello? Escríbelo (puedes pedirle ayuda al profesor si la necesitas).**

a

Cuando vio aquello, el jefe se sorprendió mucho y se enfadó. Luego dijo que estaba muy decepcionado y que tenían que empezar a trabajar ya...

b **En grupos de tres. Cuéntaselo a tus compañeros. ¿Has pensado lo mismo que alguno de ellos?**

4 ¿Qué es de tu vida?

OBJETIVOS

- Expresar una acción pasada anterior a otra acción pasada
- Narrar hechos de nuestra vida
- Expresar experiencias personales
- Interesarse por alguien
- Expresar alegría y satisfacción
- Expresar tristeza y pena
- Expresar sorpresa y extrañeza

1
a
Averigua qué significan las palabras y expresiones que no entiendas.

- salir con alguien
- matricularse
- romper con alguien
- discutir con alguien
- ganar un premio
- repetir el curso
- convivir con la pareja / el novio
- buscar/encontrar trabajo
- estar en paro
- pedir/dar/conseguir una beca
- hacer/presentar el *curriculum vitae*
- hacer una carrera / un máster
- hacer/realizar una entrevista (de trabajo)
- despedir (a alguien de su trabajo)
- tener una relación de amistad/amor/trabajo
- firmar un contrato
- hacer un intercambio / unas prácticas
- enamorarse
- dejar un trabajo / los estudios / a alguien
- ligar

b **¿Cuáles de ellas puedes utilizar para hablar del trabajo? ¿Y de los estudios? ¿Y de relaciones personales? Escribe cada una en la columna correspondiente.**

Trabajo	Estudios	Relaciones personales
		Salir con alguien

Fonética

2 **Pronuncia todas las palabras y expresiones de la actividad anterior y practica las más difíciles con la ayuda del profesor.**

Cuantificadores: indefinidos

3 **Lee este cómic y asegúrate de que entiendes todo.**

a

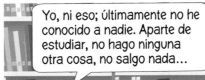

> Oye, ¿tú últimamente has conocido a alguien?

> Sí, a algunas chicas que me han presentado, pero no he conocido a ningún chico.

> Yo, ni eso; últimamente no he conocido a nadie. Aparte de estudiar, no hago ninguna otra cosa, no salgo nada...

> Pues, hombre, tienes que hacer algo, no todo va a ser estudiar.

> Ya, estaba pensando en eso ahora.

b **Forma cinco parejas de contrarios con estos indefinidos. ¿Cuáles de esas formas son negativas?**

algo   algún   alguno   nadie   nada

ninguna   alguien   ningún   ninguno   alguna

algo ≠ nada

4 **Completa estos dos cuadros de indefinidos. Puedes consultar el cómic de la actividad anterior.**

a

Para personas		Para cosas	
alguien	....	algo	nada

Para personas y cosas

	Masculino	Femenino
Singular	algún, alguno	alguna
	............., ninguno	....
Plural	algunos	....
	ningunos	ningunas

b **¿Cuándo crees que *alguno* y *ninguno* cambian a *algún* y *ningún*? ¿Puedes decir un número con el que pasa lo mismo?**

c **Observa cómo se usan las formas negativas.**

- Ahora **no** salgo con **nadie**.
- **No** he repetido **ningún** curso.

- ¿Has ganado algún premio?
- No, **no** he ganado **ninguno**.

Cuando el indefinido negativo tiene la función de sujeto

- **No** se ha matriculado **nadie**. / **Nadie** se ha matriculado.
- **No** se ha matriculado **ninguna persona**. / **Ninguna persona** se ha matriculado.

5 **¿Has hecho o te han ocurrido estas cosas? Escribe *sí* o *no*.**

a

1. Últimamente no has ligado con nadie. ☐

2. Alguien se enamoró locamente de ti hace unos años. ☐

3. No te has enamorado locamente de nadie. ☐

4. Has tenido alguna beca. ☐

5. No has hecho ninguna carrera. ☐

6. No has hecho ningún intercambio de estudios. ☐

7. Has dejado algún trabajo. ☐

8. No te han despedido de ningún trabajo. ☐

9. Últimamente has discutido con alguien. ☐

10. Este último año no has roto con nadie. ☐

b **¿Crees que las ha hecho tu compañero o le han ocurrido a él? Anótalo.**

1. Últimamente (sí) ha ligado con alguien.

c **Compruébalo con él. ¿Quién tiene más aciertos?**

● ¿Has ligado últimamente con alguien?
¿Últimamente no has ligado con nadie?

○ Sí, sí he ligado con alguien. ¿Y tú?

● Yo | también he ligado con alguien.
| no he ligado con nadie.

○ No, no he ligado con nadie. ¿Y tú?

● Yo | tampoco he ligado con nadie.
| sí he ligado con alguien.

6 **Observa la ilustración y lee las frases. ¿Qué puedes predecir de esta persona? Coméntalo con un**
a **compañero.**

	V	F
1. No ha tenido ningún novio, pero ha tenido algunos buenos amigos.	☐	☐
2. Se ha enamorado de muchos hombres.	☐	☐
3. Era una estudiante buenísima y no suspendió ninguna asignatura en ningún curso.	☐	☐
4. Estudió siempre con beca.	☐	☐
5. Ha hecho algunos másteres.	☐	☐

b **Ahora escucha y comprueba.**

1|19

7 Lee estas viñetas y responde a las preguntas.

a

> Cuando empecé a trabajar ya me había sacado el carné de conducir.

> Yo me saqué el carné de conducir a la primera porque había practicado mucho con el coche.

b Fíjate.

> ¿Qué verbos se han utilizado en cada caso para expresar una acción pasada, anterior a otra acción pasada?

> ¿Puedes decir cómo se han construido esas formas verbales?

Para expresar una acción pasada anterior a otra

PRETÉRITO PLUSCUAMPERFECTO	
Pretérito imperfecto de *haber*	+ participio
Había	estudiado
Habías	conocido
Había	ido
Habíamos	hecho
Habíais	vuelto
Habían	...

8 Relaciona un elemento de cada columna para formar frases completas.

a

1. Hablaba italiano perfectamente porque...
2. Mis padres me regalaron una bicicleta porque...
3. Estaba en paro porque...
4. Tenía muchas ganas de conocer a Andrea porque...
5. Volvió muy triste a casa porque...
6. Nos invitó a cenar porque...

A. ... me habían hablado muy bien de ella.
B. ... la habían echado del trabajo.
C. ... había vivido dos años en Roma.
D. ... había aprobado todos los exámenes.
E. ... le habían dado un premio.
F. ... había cortado con su novio.

b Completa estas frases.

1. Suspendió el examen porque no ....

2. .... porque no había tenido vacaciones en todo el año.

3. Encontró un trabajo muy bueno porque ....

4. .... porque había ganado mucho dinero.

5. Llegó muy contento a casa porque ....

6. .... porque había discutido con su jefe.

c Compara tus frases con las de un compañero. ¿Habéis pensado lo mismo?

9 Trata de recordar cuántos años tenías cuando hiciste cada una de estas cosas por primera vez.

a

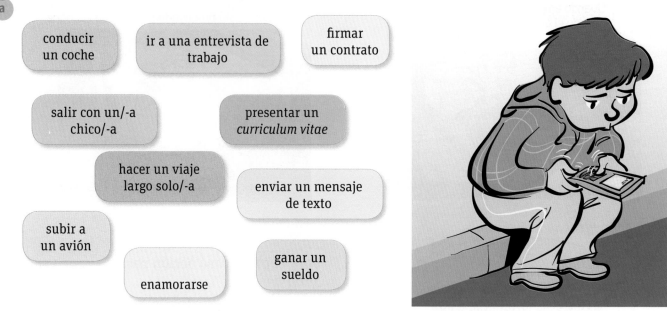

conducir un coche

ir a una entrevista de trabajo

firmar un contrato

salir con un/-a chico/-a

presentar un *curriculum vitae*

hacer un viaje largo solo/-a

enviar un mensaje de texto

subir a un avión

enamorarse

ganar un sueldo

b Pregúntale a un compañero cuántos años tenía cuando hizo por primera vez las actividades del apartado a) y anota las edades que te diga.

- ¿Cuántos años tenías cuando condujiste un coche por primera vez?
- Dieciocho. ¿Y tú?
- Yo no he conducido nunca un coche.

c Dile a la clase las informaciones más sorprendentes que hayas descubierto.

La primera vez que (Diana) hizo un viaje largo sola tenía ... años.

10 Ahora relaciona las informaciones que tienes sobre tu compañero y escribe frases sobre él.

a

Cuando (Diana) condujo un coche por primera vez, ya había hecho un viaje largo sola.
Cuando subió a un avión por primera vez, todavía no había conducido un coche.

b Enséñaselas a tu compañero para que las corrija y te confirme si son verdaderas o falsas.

11 Piensa en tres o cuatro cosas que has hecho en tu vida de las cuales tienes un buen recuerdo. Díselas a tu compañero sin mencionar cuántos años tenías cuando las hiciste; él debe adivinarlo.

- Una vez estuve en Madrid de vacaciones. Me lo pasé muy bien y fue una experiencia muy interesante...
- ¿Ya habías empezado a estudiar español?
- Sí, pero hablaba muy poco.
- ¿Ya habías cumplido veinte años?
- No, todavía no.
- Tenías diecinueve años.
- Sí.

Un encuentro casual

12 Lee el cómic y fíjate en el contexto para tratar de deducir el significado de estas palabras y expresiones.

a

- casualidad • pena • alegrarse (de algo) • ¿qué tal te van las cosas? • unos cuantos años
- tener ganas (de hacer algo) • me casé a los cuatro años de terminar la carrera • ¿qué es de tu vida?
- pesado • estar harto (de algo/alguien) • dentro de dos días

b Comenta tus hipótesis con un compañero. ¿Coincidís en alguna? Luego, comprobad con el profesor si son acertadas.

13 Lee de nuevo el cómic y señala si estas afirmaciones son verdaderas o falsas.

	V	F
1. Laura y Pablo se ven con frecuencia.	☐	☐
2. Pablo quiere cambiar de trabajo.	☐	☐
3. Su jefe le cae muy mal.	☐	☐
4. Laura se casó cuatro años después de acabar la carrera.	☐	☐
5. El día que se encuentran por casualidad Laura y Pablo es martes.	☐	☐
6. Quedan para cenar juntos dos días más tarde.	☐	☐
7. La primera vez que se ven Pablo y el marido de Laura es el sábado.	☐	☐

14 Escribe estas frases en el lugar correspondiente.

a

Interesarse por alguien
¿Qué es de tu vida?

¡Cómo/cuánto me alegro de verte!

¿Qué tal te van las cosas?

¡Qué alegría!

¡Qué pena!

¡Qué sorpresa!

¡Cuánto lo siento!

¡Es increíble!

Estoy encantado de verte.

¡Qué raro/extraño!

Siento no poder hacer nada.

¿De verdad? / ¿En serio?

¡No me lo puedo creer!

Alegría y satisfacción
¡Qué bien!

Tristeza o pena
¡Qué lástima no poder verte!

Sorpresa y extrañeza
¡Tú por aquí!

b Ahora escucha estas frases y repítelas. Fíjate bien en la entonación.

1|20

1. ¡Pablo! ¡Qué casualidad!
2. ¡Cómo me alegro de verte!
3. ¡Cuánto tiempo sin vernos!
4. ¡Cómo pasa el tiempo!, ¿eh?
5. Y, bueno, cuéntame: ¿qué es de tu vida?
6. ¡Qué bien!
7. ¡Vaya! ¡Qué pena!
8. ¡Cuánto lo siento!
9. ¿Qué tal te van las cosas?
10. ¡Hombre, Pablo, qué sorpresa, tú por aquí!
11. ¡Ah!, pero ¿ya os conocéis?
12. ¡Es increíble!
13. ¡Qué raro!
14. ¿De verdad?
15. ¡No me lo puedo creer!

15 Completa estos diálogos con frases de la actividad anterior.

1

¿Sabes que me he enamorado?

…

2

…

¡Qué bien!

Muy bien. Han cambiado muchas cosas, pero me va todo estupendamente.

3

…

Pues sí; hacía, por lo menos, cinco años que no nos veíamos.

4

¿Qué tal está Carmina?

Bueno… es que teníamos problemas y nos separamos en febrero.

…

5

…

Pues no hay nada nuevo. Sigo saliendo con Enrique y trabajando en el mismo sitio.

6

…

Pues sí, yo tampoco esperaba encontrarte aquí.

16 Fíjate en la información del cuadro y responde a las preguntas.

- ¿Qué expresión utilizada en el cómic de la actividad 12a significa "cuatro años después"? ¿Y "dos días más tarde"?

- ¿Cuál de ellas se ha usado para referirse al pasado? ¿Y para referirse al futuro?

Para narrar hechos de nuestra vida

a	los	
	las	+ cantidad de tiempo (+ de + infinitivo)
	la	
al		

PASADO   PRESENTE   FUTURO

dos años

2008   2010
conocerse casarse

Nos conocimos en el año 2008 y nos casamos **a los dos años**.
Nos casamos **a los dos años de conocernos**.

- *Dentro de* + cantidad de tiempo

PASADO   PRESENTE   FUTURO

un año

terminar la carrera

Terminaré la carrera **dentro de un año**.

17 **a** 🎧 1|21 Vas a escuchar a dos antiguos compañeros, Sonia y Felipe, que se acaban de reencontrar. Él le cuenta lo que ha hecho desde la última vez que se vieron, al acabar la carrera. Numera las ilustraciones en el orden en que Felipe menciona los hechos.

b Vuelve a escuchar y empareja los hechos con las fechas de la izquierda.

🎧 1|22

Hace		
	cinco años	**A.** regreso a Valencia
	cuatro años	**B.** trabajo en empresa de telefonía
	cuatro años	
	tres años	**C.** en paro
	un año	**D.** traslado a Argentina
	un año	**E.** máster en recursos humanos
Ahora		**F.** despido
Dentro de un mes		**G.** boda
		H. divorcio

18
a Piensa en los últimos cinco años de tu vida, en los cambios y hechos importantes que se han producido.

b ¿Qué dirías si te encontraras por casualidad con un antiguo compañero de estudios con el que no estás en contacto? Selecciona las expresiones que utilizarías.

c En parejas. Vas por la calle y te encuentras casualmente con ese excompañero al que no has visto en los últimos cinco años. Reacciona con sorpresa y alegría, interésate por su vida y háblale de la tuya.

Recuerda

COMUNICACIÓN
Expresar una acción pasada anterior a otra acción pasada

- Cuando empecé a trabajar ya había terminado la carrera.

GRAMÁTICA
Pretérito pluscuamperfecto
(Ver resumen gramatical, apartados 1.3 y 2.5)

COMUNICACIÓN
Narrar hechos de nuestra vida

- La primera vez que salí de mi país fui a Venezuela.
- Encontré trabajo a las tres semanas de llegar aquí.
- Volveré a mi país dentro de dos semanas.

GRAMÁTICA
Repaso imperfecto-indefinido
(Ver resumen gramatical, apartado 2.3)

A los/las/... + cantidad de tiempo (+ *de* + infinitivo)
(Ver resumen gramatical, apartado 13.2)

Dentro de + cantidad de tiempo
(Ver resumen gramatical, apartado 13.1)

COMUNICACIÓN
Expresar experiencias personales

GRAMÁTICA
Cuantificadores, indefinidos:
alguien, nadie, algo, nada, algún, alguno(s), alguna(s), ningún, ninguno(s), ninguna(s)
(Ver resumen gramatical, apartado 14)

COMUNICACIÓN
Interesarse por alguien

- ¿Qué es de tu vida?   • ¿Qué tal te van las cosas?

Expresar alegría y satisfacción

- ¡Cómo/cuánto me alegro de verte!
- ¡Qué alegría!
- ¡Qué bien!
- (Estoy) Encantado de verte.

Expresar tristeza y pena

- ¡Qué pena!   • ¡Cuánto lo siento!
- ¡Qué lástima!   • Siento no poder hacer nada.

Expresar sorpresa y extrañeza

- ¡Qué sorpresa!   • ¡Qué raro/extraño!
- ¡(Hombre,) Tú por aquí! • ¿De verdad? / ¿En serio?
- ¡Es increíble!   • ¡No me lo puedo creer!

GRAMÁTICA
Frases para expresar sentimientos
(Ver resumen gramatical, apartado 16)

Verbos y expresiones con preposición: *alegrarse / estar harto / tener ganas / acordarse / estar encantado* + *de* + infinitivo

Las tapas

1 **Relaciona estos nombres de tapas con las fotos.**

- jamón serrano
- queso manchego
- calamares a la romana

- chorizo frito
- champiñones
- gambas al ajillo

- ensaladilla rusa
- tortilla de patatas

1. Tortilla de patatas.

2 **Comenta con tus compañeros las respuestas a estas preguntas.**

a

- ¿Has pensado alguna vez por qué esos alimentos se llaman "tapas"?
- ¿Puede tener relación ese nombre con uno de los significados del verbo *tapar*: 'cerrar o cubrir algo que está abierto o descubierto'? ¿Por qué?

b **Lee este texto y averigua si tus hipótesis son acertadas.**

ORIGEN Y ACTUALIDAD DE LAS TAPAS

Las tapas nacieron como consecuencia de una ley que dictó el rey Alfonso X el Sabio en el siglo XIII para tratar de evitar los problemas que causaban los efectos del alcohol. Ese rey prohibió servir vino en los mesones de Castilla si no iba acompañado con algo de comida. Entonces, los hosteleros empezaron a servir alimentos como pan, queso, morcilla, etc. encima del vaso, tapándolo, y eso dio origen al nombre "tapa".

Actualmente llamamos tapas a muchos platos fríos o calientes que se sirven para acompañar la bebida, generalmente vino, cerveza, vermú o refrescos.

El "tapeo", o acción de tomar tapas, suele tener lugar antes del almuerzo y de la cena, y en ocasiones puede sustituir a estas comidas. Uno de sus aspectos más peculiares es su carácter colectivo: habitualmente se consumen de pie, junto a la barra del establecimiento, y en grupos de personas que comparten alimentos y conversación.

Por otra parte, en muchas zonas de España se conserva todavía la buena costumbre de poner un pincho o una tapa gratis con la bebida. La cantidad de comida es menor que la de una ración, pero es un detalle que los clientes aprecian y sus estómagos agradecen.

c **¿Por qué se mencionan estas palabras? Explícalo.**

ley   tapar   platos fríos o calientes   tapeo   gratis

Se menciona la palabra "ley" porque un rey español...

d **Completa el cuadro con palabras del texto.**

establecimientos de hostelería	nombres de alimentos	comidas	bebidas	porciones de alimentos
		almuerzo		

e **Comenta las respuestas a estas preguntas con tus compañeros.**

- ¿Has probado las tapas españolas? ¿Cuáles te gustan o crees que te gustarían más?
- ¿Existen en tu país platos que te recuerden a las tapas?
- ¿Tenéis alguna costumbre que te haga pensar en el tapeo? ¿Cuándo y cómo se practica? ¿Qué se toma?

Preposiciones

1 **Ordena las palabras y escribe las frases.**

a

1. Muchas tengo de ganas curso el terminar.

....

2. Mis confío yo en amigos mucho.

....

3. De dejé fumar años hace unos.

....

4. Carné segunda a el la saqué conducir de me.

....

5. Mi cuando conocí carrera a había terminado novia la ya.

....

6. Nunca afortunadamente en he estado paro.

....

7. Encontré los trabajo pocos a estudios terminar meses de los.

....

8. Novio yo conocimos y por mi casualidad nos.

....

9. Temporada pasar con Latinoamérica una en sueño.

....

10. Algunas poco harta un estoy de cosas.

....

11. Mucho los de yo alegro éxitos me amigos de mis.

....

12. De encantado estar estoy contigo.

....

b **¿Cuáles de esas informaciones son verdaderas para ti?**

c **Subraya las preposiciones y fíjate en su uso.**

d **Utiliza esas preposiciones para escribir otras frases con informaciones verdaderas o falsas sobre ti.**

○
○ Tengo muchas ganas de ir a España.
○
○
○
○
○

e **Díselas a tu compañero para ver si acierta si son verdaderas o falsas.**

Crónica de la ciudad de Montevideo

2
a
Lee estas cuatro partes desordenadas del relato breve *Crónica de la ciudad de Montevideo*, del escritor uruguayo Eduardo Galeano, y pídele al profesor que te explique lo que no entiendas.

A
Y pasaron unas pocas horas y unas muchas copas hablando del tiempo loco y de lo cara que está la vida, de los amigos perdidos y los lugares que ya no están, memorias de los años mozos:
—*¿Te acordás?*
—*Si me acordaré.*

B
Cuando por fin el café cerró sus puertas, Gravina acompañó al Hachero hasta la puerta de su casa. Pero después el Hachero quiso retribuir:
—*Te acompaño.*
—*No te molestes.*
—*Faltaba más.*

C
Julio César Puppo, llamado el Hachero, y Alfredo Gravina se encontraron al anochecer, en un café del barrio de Villa Dolores. Así, por casualidad, descubrieron que eran vecinos:
—*Tan cerquita y sin saberlo.*
Se ofrecieron una copa, y otra.
—*Se te ve muy bien.*
—*No te vayas a creer.*

D
Y en ese vaivén se pasaron toda la noche. A veces se detenían, a causa de algún súbito recuerdo o porque la estabilidad dejaba bastante que desear, pero en seguida volvían al ir y venir de esquina a esquina, de la casa de uno a la casa del otro, de una a otra puerta, como traídos y llevados por un péndulo invisible, queriéndose sin decirlo y abrazándose sin tocarse.

b **Ordénalas.**

Orden:

c **Lee el texto de nuevo y responde a las preguntas.**

1. ¿En qué parte del día se conocieron El Hachero y Gravina?

2. ¿Cómo se enteraron de que vivían cerca?

3. ¿Cuánto tiempo estuvieron hablando en el café?

4. ¿Qué temas de conversación tuvieron?

5. ¿Adónde fueron directamente cuando salieron del café?

6. ¿Entraron allí?

7. ¿Cuánto tiempo más estuvieron juntos?

8. ¿Qué hicieron durante todo ese tiempo?

9. ¿Por qué se paraban algunas veces?

Repaso 1

1

a Busca en las lecciones 1-4 y anota seis palabras o expresiones útiles o difíciles.

b Muéstraselas a tu compañero y explícale las que no entienda. Si coinciden algunas con las suyas, buscad otras para completar una lista de doce en total.

c Jugad con otra pareja. Por turnos, un miembro de una pareja dice una palabra a un miembro de la otra, y este debe construir una frase con esa palabra para conseguir dos puntos. Si no lo hace correctamente y sí su compañero, obtienen un punto. Gana la pareja que consiga más puntos.

2

a Escribe en tu cuaderno la traducción de estas frases en tu lengua.

> Llevo cuatro años viviendo en esta ciudad.
> Hablo español desde que conocí a Ana.
> Estudio aquí desde hace dos años.
> Soy bastante buena para los idiomas.
> Lleva ocho horas durmiendo.
> Lo que más me gusta de este país es el carácter de la gente.

b Cierra el libro y tradúcelas al español.

c Compáralas con las de tu compañero y corregidlas.

d Escribe una pregunta para cada frase de a).

3

a Observa los dibujos. ¿Cuál crees que es la relación entre esas personas? Díselo al compañero.

 (A)

 (B)

 (C)

b Escucha a tres personas contar un encuentro no esperado. ¿A qué dibujo de a) se refiere cada una?

1|23

c Vuelve a escuchar y toma nota de los siguientes aspectos.

1|24

¿Con quién se encontraron?	¿Cuándo y dónde?	Circunstancias	¿Cómo se sintieron?

4 **Aquí tienes un cómic incompleto de una autora argentina: Maitena. Léelo y averigua el significado de
a las palabras que no entiendas.**

MAITENA, *Mujeres alteradas 4.*

b **Ahora escribe cada una de estas frases encima de la viñeta correspondiente.**

> 20 AÑOS, CON TUS EXCOMPAÑERITOS
> DE COLEGIO

> 30 AÑOS, CON TU ACTUAL COMPAÑERO
> DE TRABAJO

> 10 AÑOS, CON TUS COMPAÑERAS
> DE COLEGIO

c **Busca en el cómic las formas verbales en presente e imperativo que se usan con *vos* y anótalas. Escribe
también sus infinitivos.**

Presente	Infinitivo
sabés	saber

Imperativo	Infinitivo
mirá	mirar

Estrategias de aprendizaje: expresión escrita

5
a ¿Recuerdas algún encuentro no esperado que has tenido alguna vez con alguien? Piensa en los siguientes aspectos y toma nota de todo ello.

- dónde • con quién • las circunstancias • cuándo • cómo te sentiste • qué hicisteis

b Decide en qué orden vas a escribir sobre esas cosas y redacta el texto.

○
○ Una vez me encontré con... (Fue hace dos años en...)
○
○

c Revísalo. Comprueba si has expresado todo lo que querías expresar y si están claras las ideas. Haz también todas las correcciones que consideres convenientes y pásalo a limpio si es necesario.

d Intercámbialo con un compañero y corrige el suyo. Después, comentad los errores y las posibles sugerencias.

6
a Lee este texto y asegúrate de que lo entiendes.

Un taxista de Madrid paró para recoger a una señora que llevaba una maleta. Cuando salió del taxi para meter la maleta en el maletero, comprobó que la mujer hablaba muchísimo y, como él no estaba de buen humor, decidió simular que era sordomudo. Para hacérselo entender a la señora se señaló los oídos y la boca, y explicó con gestos que no oía ni hablaba. Cuando llegaron al destino de la mujer, el taxista señaló la cantidad que marcaba el taxímetro. Ella pagó y se fue, pero entonces comprendió que el taxista no era sordomudo.

b Piensa en las respuestas a estas preguntas.
- ¿Por qué descubrió la señora que el taxista no era sordomudo?
- ¿Qué había pasado?

c Coméntalo con tu compañero. ¿Estáis de acuerdo?

d Decídselo a la clase. El profesor os confirmará si vuestras respuestas son acertadas.

7
a ¿Qué cambios crees que se producirán en los próximos veinticinco años? Anótalos en el cuadro.

En tu país	En el mundo

b Compara con un compañero para ver si coincidís en algo. Luego, coméntale a la clase los cambios más interesantes pronosticados por él.

La coartada

8 Ayer tuvo lugar un robo a las seis de la tarde en el centro donde estudiáis español. Los ladrones se llevaron 1000 euros y los detectives de la agencia La Pista están investigando el caso.

a En grupos de cuatro. Dos de vosotros (A y B) sois detectives, y los otros dos (C y D) sois dos sospechosos que ayer estuvisteis juntos toda la tarde e hicisteis las mismas cosas.

A-B

Los detectives tenéis que escribir las preguntas que vais a hacer a los sospechosos para averiguar todo lo que hicieron de cinco a siete de la tarde y obtener todo tipo de detalles.

- ¿Dónde estabas a las cinco de la tarde?
- ¿Qué estabas haciendo (a esa hora)?
- ¿Qué hiciste después?

C-D

Los dos sospechosos tenéis que decidir lo que hicisteis entre las cinco y las siete de la tarde con todo tipo de detalles, y tomar nota de ello. ¡Preparad una buena coartada!

- A las cinco de la tarde estábamos en el café Comercial. Yo estaba tomando una cerveza.
- Y yo, un café con leche. Había mucha gente...

b Los detectives vais a hacer dos interrogatorios, uno al sospechoso C y otro al D. Mientras uno es interrogado, el otro debe permanecer fuera del aula para no oír las preguntas. Los sospechosos solo pueden decir "no me acuerdo" dos veces. Si coinciden sus respuestas, serán considerados inocentes; si no, serán culpables.

c Los detectives vais a informar a la clase del resultado del interrogatorio y de vuestras conclusiones.

Creemos que (Victoria y Patrick son culpables porque Victoria ha dicho que a las... estaban...; en cambio, Patrick ha dicho que a esa hora...).

E

9 **¿Bien o mal? Antes de empezar a jugar con tus compañeros, lee las instrucciones y asegúrate de que las entiendes.**

1. En grupos de tres o cuatro. Juega con un dado y una ficha de color diferente a la de tus compañeros.
2. Por turnos. Tira el dado y avanza el número de casillas que indique.
3. Si caes en una casilla con una o varias frases, decide si están bien o mal y, en este caso, corrígelas.
4. Si tus compañeros están de acuerdo con lo que dices, quédate en esa casilla. Si no están de acuerdo contigo, consultad al profesor para ver quién tiene razón. Si estás equivocado/-a, vuelve a la casilla donde estabas.

En otras lecciones posteriores podéis utilizar este juego con vuestras propias frases, así podréis tratar de resolver vuestras dificultades.

SALIDA	**1** ● ¿Cuánto tiempo llevas saliendo con Raúl? ○ Más de un año.	**2** ● ¿Dónde conociste a Mónica? ○ En una estación de tren. Estábamos esperando el tren y...	**3** Yo tengo ningún amigo en este pueblo.	**4** Si descansas, te sentirás mejor.	**5** ● ¡Cuánto tiempo sin verte, Paloma! ● Pues sí... por lo menos un año.
11 China es el tercero país más grande en el mundo.	**10** Un amigo es una persona quien me entiende y me ayuda si lo necesito.	**9** Normalmente, todos los días volvía a casa en metro, pero aquel día decidía volver en taxi.	**8** ● Tengo muchas ganas a verte... ○ Yo también, cariño.	**7** ● ¿Qué es con tu vida? ¿Sigues trabajando en la misma empresa? ○ No, cambié de trabajo hace unos meses...	**6** Ayer conocí a tu amigo Héctor y me caí muy bien.
12 ¡Pero, hombre, Germán, tú para aquí!	**13** ● ¿Desde cuándo trabajas aquí? ○ Desde hace abril.	**14** Se calcula que en América Latina hay más que 30 millones de indios.	**15** Fidel y yo nos hicimos muy buenos amigos cuando éramos niños.	**16** Cuando te conocí me pareciste una persona muy alegre.	**17** ● ¿En cuál estos dos países nace el Amazonas: en Perú o en Colombia? ○ Creo que en Perú.
23 Cuando llegué a su casa estaban cenando y me invitaban a cenar.	**22** ● ¡Cuánto me alegro por verte! ○ A mí también.	**21** ● Y a ti, ¿qué tal van las cosas? ● Bastante bien, como siempre.	**20** Anoche, como estaba muy cansada, me acostaba muy pronto.	**19** Creo que tenía unos dieciséis años cuando conducí un coche por primera vez.	**18** Estoy segura de que dentro de unos años viviré en otro país y mi vida será muy distinta...
24 ● ¿Cuánto tiempo hace que estuviste en Uruguay? ○ Algo más de dos años.	**25** ● ¿Ha llamado alguien preguntando por mí? ○ No, no ha llamado nadie.	**26** ● ¿Cuál es el país hispanoamericano más poblado? ○ No sé, será México.	**27** Juana y yo nos encontramos el lunes pasado por casualidad y dentro de dos días volvimos a encontrarnos.	**28** Cuando empecé a estudiar español ya he estado en España de vacaciones.	**LLEGADA**

La biblioteca de español

10 Lee este texto sobre la lectura y averigua el significado de las palabras nuevas.

a

> Leer nos enriquece la vida. Con el libro volamos a otras épocas y a otros paisajes; aprendemos el mundo, vivimos la pasión o la melancolía. La palabra fomenta nuestra imaginación: leyendo inventamos lo que no vemos, nos hacemos creadores.
>
> [...] Hace siglos, la imprenta nos libró de la ignorancia llevando a todos el saber y las ideas. El alfabeto fomentó el pensamiento libre y la imaginación.
>
> JOSÉ LUIS SAMPEDRO: *Valor de la palabra.*

b ¿Estás de acuerdo con lo que dice José Luis Sampedro? ¿Añadirías tú algún otro beneficio que aporta la lectura?

c ¿También disfrutas leyendo en español? ¿Lees alguno de estos tipos de publicaciones? ¿Y algún otro que no está en la lista? Díselo a un compañero y comprueba si tienes los mismos gustos que él.

periódicos   revistas   lecturas graduadas   cómics   relatos cortos   novelas

d Piensa en uno de los últimos libros que has leído en español y rellena esta ficha (si se trata de una historia, no cuentes el final). Si no has leído ninguno, el profesor te recomendará uno para que puedas rellenar esta ficha después de leerlo.

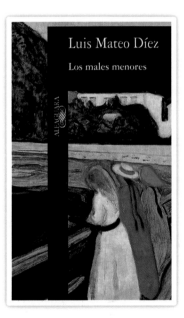

FICHA DE LECTURA

Lector/a: ....
Título: ....
Autor/a: ....
Tipo de libro: ....
Resumen: ....
....
....
¿Te ha gustado? ....
¿Es fácil de leer? ....
Otros comentarios: ....
....
....

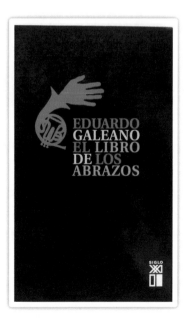

e Colócala en una pared del aula y lee las fichas elaboradas por tus compañeros para decidir cuál es el próximo libro que vas a leer.

f Cada vez que leas un libro, rellena una ficha como la del apartado d) y déjala en el fichero de la biblioteca de tu centro de estudios para que tus compañeros la consulten cuando quieran elegir un libro.

5 Deseos y planes

OBJETIVOS

- Expresar esperanza
- Expresar deseos sobre el futuro
- Formular buenos deseos en determinadas situaciones sociales
- Expresar planes
- Secuenciar acciones futuras

1
a Asegúrate de que entiendes todos estos nombres de fiestas y acontecimientos que se celebran en España e Hispanoamérica.

- la boda
- las Navidades
- la Nochebuena
- la Nochevieja
- el Año Nuevo
- el carnaval
- el cumpleaños
- el Día de la Madre
- el Día del Padre
- el Día de los Trabajadores
- el Día de la Mujer Trabajadora
- el Día de los Enamorados
- las fiestas patronales

b ¿Cuáles se celebran también en tu país? Dile las fechas al profesor. ¿Coinciden con las de España e Hispanoamérica?

En mi país, el Día de los Enamorados se celebra el...

c ¿Qué otras fiestas y acontecimientos celebráis? ¿Cuáles son los más importantes?

2 ¿Con qué celebraciones de la actividad anterior relacionas estos deseos?

¡Que seáis muy felices!

¡Que pasen una buena luna de miel!

¡Que cumplas muchos más!

¡Que te diviertas en las fiestas de tu pueblo!

¡Que el año que empieza sea mejor que el anterior!

¡Que todos vuestros deseos se hagan realidad!

3 **¿Te has dado cuenta de que en las frases de la actividad anterior aparece un tiempo verbal nuevo, el presente de subjuntivo? Léelas otra vez e intenta completar el cuadro.**

Presente de subjuntivo

Verbos regulares

-AR	-ER	-IR
PASAR	COMER	CUMPLIR
pase	coma	cumpla
pases	...	...
...	coma	cumpla
pasemos	...	...
paséis	comáis	cumpláis
...	coman	cumplan

Verbos irregulares

- Fíjate en que hay irregularidades del presente de indicativo que se repiten en presente de subjuntivo:

e→ie	o→ue
EMPEZAR	PODER
empiece	pueda
empieces	puedas
empiece	pueda
empecemos	podamos
empecéis	podáis
empiecen	puedan

- Hay verbos que en presente de subjuntivo tienen la misma irregularidad que en la primera persona del singular del presente de indicativo, pero en todas las personas:

PRESENTE DE INDICATIVO (yo)	PRESENTE DE SUBJUNTIVO
hago	haga, hagas, haga, hagamos, hagáis, hagan
salgo	salga, salgas, ...
pongo	...
tengo	...
vengo	...
digo	...
oigo	...
veo	...
conozco	...

- Otros verbos son irregulares en todas las personas:

e→i	con *y*
PEDIR	CONSTRUIR
pida	construya
pidas	construyas
pida	construya
pidamos	construyamos
pidáis	construyáis
pidan	construyan

- Por último, observa que algunos verbos de uso muy frecuente tienen irregularidad propia en este tiempo:

Verbo	PRESENTE DE SUBJUNTIVO
ser	sea, seas, ...
estar	esté, estés, ...
ir	vaya, vayas, ...
haber	haya, hayas, ...
saber	sepa, sepas, ...
dar	dé, des, ...

4 En grupos de tres. Por turnos, cada alumno elige un verbo y lo conjuga en la persona indicada, en presente de subjuntivo. Si lo hace correctamente, escribe su nombre en esa casilla. Gana el que obtenga tres casillas seguidas.

seguir (nosotras)	pensar (tú)	vivir (usted)	acordarse (ellos)
descansar (yo)	desaparecer (él)	tener (ustedes)	ser (vosotras)
elegir (ella)	comenzar (nosotros)	saber (ellos)	dormir (usted)
construir (ellos)	encontrar (tú)	disfrutar (ella)	ayudar (yo)
comer (vosotros)	volver (yo)	venir (nosotras)	dar (ustedes)

5 ¿Qué deseos se pueden formular en estas situaciones? Relaciona cada deseo con una de ellas.

a

1. Al despedirte de unos amigos colombianos.
2. Al empezar a comer.
3. Cuando alguien se va a la cama.
4. Visitas a una amiga mexicana que está enferma.
5. Le regalas una radio a tu madre.
6. Un amigo tuyo tiene que hacer varias gestiones complicadas para conseguir algo importante.

A. ¡Que aproveche!
B. ¡Que se mejore!
C. ¡Que les vaya bien!
D. ¡Que duermas bien! ¡Que descanses!
E. ¡Que todo salga bien!
F. ¡Que la disfrutes!

b ¿Qué deseos formularías en estas situaciones? Escríbelos.

- A una amiga que se va de vacaciones.
- A un amigo que se va a hacer un curso intensivo de español a Costa Rica.
- A tu pareja, cuando os despedís por la mañana temprano para iros a trabajar.
- A un compañero de trabajo que se va a una fiesta.
- A un amigo que va a hacer un examen muy difícil.

6 Lee esta parte incompleta de una canción de Sabina y averigua qué significa lo que no entiendas.

a

NOCHES DE BODA

Que las verdades no tengan complejos,
que las mentiras............................,
que no te den la razón los espejos,
que te aproveche mirar.................. .

Que no te compren por menos de nada,
que no te vendan amor sin espinas,
que no te duerman con ....,
que no te cierren ....

Que el corazón no se pase de moda,
que los otoños te doren la piel,
que cada noche...............................,
que no se ponga la luna de miel.
Que todas las noches.......................,
que todas las lunas ....

JOAQUÍN SABINA: "Noches de boda",
19 días y 500 noches.

b Asegúrate de que entiendes estas frases y completa la canción con ellas.

... sean noches de boda	... parezcan mentiras	... cuentos de hadas
... el bar de la esquina	... sea noche de boda	... sean lunas de miel
... lo que mires		

c Escucha y comprueba. Luego, trata de aprenderte los versos que más te gusten para que puedas aprender español cantándolos cuando quieras.

1|25

7 Lee estos deseos sobre el futuro y averigua el significado de lo que no entiendas.

a

1. ¡Ojalá respetemos más el medioambiente!
2. Espero que utilicemos más las energías alternativas.
3. ¡Ojalá que la gente recicle cada vez más cosas!
4. Deseo que todos los niños puedan ir al colegio.
5. Espero que haya trabajo para todos.
6. ¡Qué ganas tengo de que bajen los precios de los pisos!
7. Deseo que llegue un día en el que no haya guerras.
8. ¡Ojalá que algún día la gente no tenga que emigrar para huir del hambre!
9. Yo quiero que cada vez tengamos que trabajar menos.
10. Espero que descubran pronto la forma de curar enfermedades que ahora son incurables.

b ¿Cuáles de esos deseos compartes tú más? Díselo a tus compañeros.

c Ahora completa este cuadro con estructuras para expresar deseos.

Para expresar deseos

(Yo)	Deseo .... Tengo ganas de	....	todos **vivamos** mejor en el futuro.
¡Ojalá (que) **vivamos** más de cien años todos!			

8 Piensa en un futuro mejor y escribe un deseo sobre cada uno de estos temas.

a
- naturaleza • contaminación • cambio climático • condiciones de trabajo • cambios en el mundo
  • tu ciudad/pueblo • relaciones personales

Espero que en el futuro cuidemos más la naturaleza.

b En grupos de cuatro, comentad las frases que habéis escrito y corregidlas.

Vas a escuchar a dos amigos, Roberto y Susana, expresando deseos para un futuro mejor. Observa las fotos y escucha. ¿Cuáles de los temas reflejados en ellas mencionan?

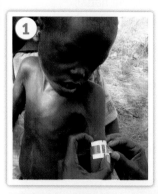
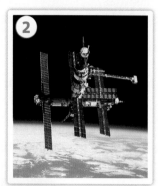

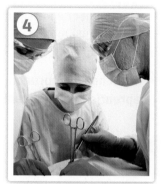

b

🎧
1|27

Escucha la conversación. ¿Qué deseos expresa Susana y cuáles expresa Roberto?

Un poema

10
a

Vas a escribir un poema en el que vas a expresar deseos sobre tu país. Antes, decide lo siguiente:

- A qué temas te vas a referir (medioambiente, trabajo, educación, etc.).
- Qué vas a escribir sobre cada tema. Puedes anotar las ideas que se te ocurran.
- ¿Van a rimar algunos versos?

b **Escríbelo. Puedes seguir este esquema.**

UN PAÍS MEJOR

Deseo que ....
Quiero que ....
Espero que ....
Tengo ganas de que ....
¡Ojalá ....!

¡Ojalá ....!
Tengo ganas de que ....
Espero que ....
Quiero que ....
Deseo que ....

c **Léeselo a un compañero y escucha el suyo. ¿Corregirías algo de su poema? Coméntalo con él.**

d **Si fuera necesario, escribe de nuevo tu poema incluyendo los cambios acordados en el apartado c).**

e **Colócalo en una pared del aula y lee los de tus compañeros. ¿Te gustan?**

Planes

11 Estos dibujos corresponden a un cuento muy conocido, pero están desordenados. Lee el texto y escribe los números en el orden correcto.

LA LECHERA

Iba alegre la lechera a vender la leche al mercado. Por el camino iba haciendo planes:

"Cuando venda la leche, compraré unas gallinas que pondrán muchos huevos y de ellos nacerán pollitos. Criaré los pollos y, cuando sean grandes, los venderé. En cuanto venda los pollos, compraré unos cerdos. Los engordaré, los venderé y compraré unos terneros. Cuando sean grandes, los venderé, y con el dinero que gane me compraré una casa, ropa, joyas,...".

Eso iba pensando la lechera, que caminaba cada vez más deprisa para llegar pronto al mercado. Pero, de repente, tropezó con una piedra, se cayó al suelo, se rompió el cántaro... y sus planes no pudieron hacerse realidad.

Orden: 3,...

12 Lee estas frases y anota los nombres de los tiempos verbales que se utilizan en cada una.

a

> Cuando venda la leche, compraré unas gallinas.
> En cuanto venda los pollos, compraré unos cerdos.
> Estaré en el mercado hasta que compre las gallinas.

b Ahora observa estas dos frases y piensa por qué se usa el infinitivo en una de ellas.

> Me **compraré** una casa **después de que** me **paguen** los terneros.
> Me **compraré** ropa y joyas **después de vender** los terneros.

c Coméntalo con un compañero y comprobad vuestras hipótesis con el profesor.

13 Lee este chiste incompleto de un antiguo estudiante de Económicas que naufragó en una isla desierta
a con un amigo.

> Cuando venda los tomates que quiero producir, ... acciones en la Bolsa y ... mucho dinero. En cuanto ... las acciones, abriré un cibercafé. Venderé el café después de que me ... muchos beneficios. Luego montaré una empresa de ordenadores y ... me haga multimillonario, me compraré un avión. Cuando me ... el avión, me ... rápidamente de esta maldita isla a comprar tomates para poder cultivarlos.

> Si me prometes que me ayudarás con los tomates, sí.

> ¿Y me llevarás contigo?

> Ya estamos otra vez igual.

b Completa el diálogo con estas palabras.

compre   iré   dé   venda

compraré   en cuanto   ganaré

14 ¿Tienes buena memoria? Escribe el mayor número posible de frases expresando los planes del estudiante
a de la actividad anterior.

> Cuando venda los tomates, comprará acciones en la Bolsa.
> En cuanto...

b Intercambia tus frases con las de un compañero y corrige las suyas. Luego, coméntale los posibles
errores. ¿Quién ha escrito más frases correctas?

15
a
Vas a escuchar a dos estudiantes españoles, Amaya y Jorge, hablando de sus planes para cuando acaben los exámenes. Observa las ilustraciones y comenta con un compañero en qué orden crees que van a hacer esas actividades.

 **1**

 **1**

 **2**

 **2**

 **3**

 **3**

b Escucha la conversación y ordena las ilustraciones.

1|28

16
a
Piensa en los planes que creas que tiene tu compañero para cuando acabe el curso. Puedes tomar nota de ellos.

Cuando acabe el curso...

b Díselos a tu compañero para averiguar si son, efectivamente, sus planes. ¿Tienes más aciertos que él?

Recuerda

COMUNICACIÓN

Expresar esperanza

Expresar deseos sobre el futuro

- Espero que en el futuro haya menos pobres en el mundo.
- ¡Ojalá dejen de producir energía nuclear!

GRAMÁTICA

Presente de subjuntivo
  (Ver resumen gramatical, apartado 1.4)

Desear / querer / esperar / tener ganas de + que + presente de subjuntivo
  (Ver resumen gramatical, apartado 17.1)

¡Ojalá + presente de subjuntivo!
  (Ver resumen gramatical, apartado 17.1)

COMUNICACIÓN

Formular buenos deseos en determinadas situaciones sociales

- ¡Que aproveche!
- ¡Que cumplas muchos más!
- ¡Que le vaya bien!

GRAMÁTICA

¡Que + presente de subjuntivo!
  (Ver resumen gramatical, apartado 17.2)

COMUNICACIÓN

Expresar planes. Secuenciar actividades futuras

- Cuando termine el curso, empezaré a buscar trabajo.
- En cuanto encuentre trabajo, me compraré un coche.
- Seguiré estudiando aquí hasta que me vaya a Colombia.

GRAMÁTICA

Cuando *En cuanto*	+ presente de subjuntivo,	+ futuro simple
Futuro simple +	*hasta que* *después de que*	+ presente de subjuntivo

  (Ver resumen gramatical, apartado 18)

1
a Lee el título del texto y coméntale a la clase lo que te sugiera.

LAS UVAS DE NOCHEVIEJA

El 31 de diciembre por la noche, Nochevieja, las doce campanadas marcan el final de un año y anuncian la llegada de uno nuevo, que se espera que sea bueno. Buenos propósitos y buenas intenciones son inseparables del concepto de año nuevo. Tener suerte en el amor, mejorar en el trabajo y tener buena salud son algunos de los deseos de millones de personas. Para expresarlos se toman doce uvas, una por cada una de las campanadas que suenan cada tres segundos aproximadamente a partir de las doce en punto de la noche.

Dicha tradición española se generalizó a principios del siglo xx. En el año 1909, los viñedos españoles dieron mucha uva y de gran calidad. Para no desperdiciar parte de la producción, los agricultores decidieron vender parte de ella a un precio muy bajo sugiriendo comer una uva por cada campanada que anunciaba el año nuevo. La idea tuvo tanto éxito que se convirtió en una costumbre, y se dice que si se toman antes de que terminen las campanadas, se tendrá suerte y será un año bueno y próspero.

Esa costumbre existe también en varios países de Hispanoamérica y es ligeramente distinta en algunos de ellos. Así, en Argentina, por ejemplo, se toman doce uvas pasas.

b Lee el texto y comprueba. Puedes usar el diccionario.

c Comenta con la clase las informaciones que te parezcan más curiosas e interesantes.

Yo creía que la costumbre de tomar las uvas en Nochevieja tenía un origen diferente...

d Piensa en las respuestas a estas preguntas y coméntalas con la clase.

¿Existe en tu cultura alguna costumbre típica para despedir o recibir el año? En caso afirmativo, ¿en qué consiste?

Deseos para el año nuevo

1 Cuando comienza un año, solemos expresar buenos deseos. Lee estos. Puedes consultar el diccionario.

a

1 "Que los niños hereden una Tierra mejor, sin hambre, sin cambio climático, con tolerancia y medicinas contra las enfermedades más crueles".

2 "Deseo que el nuevo año sea generoso con todos, que se cumplan nuestros deseos, que aprendamos de nuestros errores, que desaparezcan las malditas guerras y que la paz sea, por fin, una realidad, no un simple deseo".

3 "Espero que seamos sensatos, inteligentes y audaces para saber afrontar los grandes retos de salud global, no solo la malaria, sino también otras enfermedades como la tuberculosis o el sida".

4 "Que la economía mejore, que haya más trabajo y que yo pueda encontrar un empleo".

5 "Pido ver películas que me intriguen, que me desconcierten, me emocionen y me hagan salir del cine en un estado mental distinto del que tenía cuando entré. No quiero ver las historias de siempre, contadas con la desidia de siempre".

6 "Espero que sea un año tranquilo, sin sustos, y que la gente de mi entorno y yo tengamos mejor salud que el año pasado".

7 "Que los niños puedan ser niños (y no consumidores o productores prematuros), y los adultos, adultos (y no niños tardíos o ancianos precoces)".

8 "No sé por qué, pero tengo la intuición de que va a ser un año diferente y voy a hacer cosas nuevas, cosas que nunca he hecho. Confío en que sea así, que se produzcan cambios interesantes en mi vida y que aprenda muchas cosas".

La Vanguardia

b Esos deseos fueron expresados por estas personas. ¿Quién crees que expresó cada uno de ellos?

- Isabel Coixet, directora de cine
- Antonio Cámara, parado
- Quim Márquez, jefe de cocina
- Pilar Pellicer, profesora
- Francisca Marín, jubilada
- Pedro Alonso, investigador
- Natalia Vélez, estudiante
- José Luis Pardo, filósofo

Yo creo que el deseo número uno lo expresó... porque...

c ¿Hay algún deseo que te haya gustado especialmente? Ahora escribe tú deseos para el año nuevo (si lo necesitas, puedes fijarte en el apartado a).

d Intercámbialos con un compañero y corrige los suyos. ¿Se parecen a los tuyos?

Elige el final

2
a
Lee este texto incompleto y pregúntale al profesor qué significa lo que no entiendas.

Bartleboom tiene treinta y ocho años. Él cree que en alguna parte, por el mundo, encontrará algún día a una mujer que, desde siempre, es su mujer. De vez en cuando lamenta que el destino se obstine en hacerle esperar con obstinación tan descortés, pero con el tiempo ha aprendido a pensar en el asunto con gran serenidad. Casi cada día, desde hace ya años, toma la pluma y le escribe. No tiene nombre y no tiene señas para poner en los sobres, pero tiene una vida que contar. Y ¿a quién sino a ella? Él cree que cuando se encuentren será hermoso depositar en su regazo una caja de caoba repleta de cartas y decirle:
—Te esperaba.
Ella abrirá la caja y lentamente, cuando quiera, leerá las cartas una a una y, retrocediendo por un kilométrico hilo de tinta azul, recobrará los años –los días, los instantes– que ese hombre, incluso antes de conocerla, ya le había regalado. O tal vez, más sencillamente, volcará la caja y, atónita ante aquella divertida nevada de cartas, sonreirá diciéndole a ese hombre:

— **1.** ....
Y lo **2.** .... para siempre.

ALESSANDRO BARICCO: *Océano mar.*

b
Señala lo que significan estas palabras en el dibujo del apartado anterior.

caja de caoba   regazo   volcar   atónita

c
Ahora completa el relato. Elige la opción que más te guste para 1 y la que más te guste para 2.

1.
- No puede ser verdad lo que me está pasando.
- Eres lo mejor que me ha pasado en mi vida.
- Tú estás loco.

2.
- Odiará.
- Amará.
- Recordará.

d
¿Cuál crees que es el final que creó el autor del relato? Díselo al profesor y comprueba si lo has acertado.

Carácter, relaciones personales y sentimientos

OBJETIVOS

- Describir el carácter de una persona
- Hablar de relaciones personales
- Expresar afecto
- Expresar parecidos
- Expresar alegría
- Expresar tristeza
- Expresar enfado
- Expresar miedo
- Expresar nerviosismo
- Expresar vergüenza
- Expresar cambios de estado de ánimo

Estrategias de aprendizaje: técnicas de memorización

1
a Lee lo que dicen estos estudiantes sobre técnicas para aprender vocabulario. ¿Cuál de las estrategias mencionadas utilizas tú?

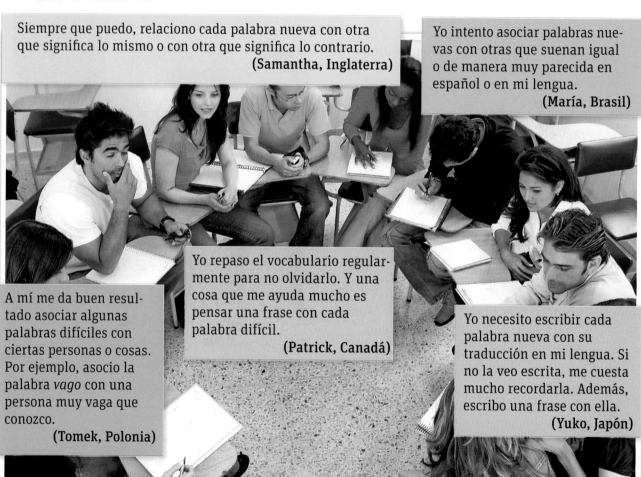

Siempre que puedo, relaciono cada palabra nueva con otra que significa lo mismo o con otra que significa lo contrario.
(Samantha, Inglaterra)

Yo intento asociar palabras nuevas con otras que suenan igual o de manera muy parecida en español o en mi lengua.
(María, Brasil)

A mí me da buen resultado asociar algunas palabras difíciles con ciertas personas o cosas. Por ejemplo, asocio la palabra *vago* con una persona muy vaga que conozco.
(Tomek, Polonia)

Yo repaso el vocabulario regularmente para no olvidarlo. Y una cosa que me ayuda mucho es pensar una frase con cada palabra difícil.
(Patrick, Canadá)

Yo necesito escribir cada palabra nueva con su traducción en mi lengua. Si no la veo escrita, me cuesta mucho recordarla. Además, escribo una frase con ella.
(Yuko, Japón)

Pues a mí me da muy buen resultado repetirlas, decirlas en voz alta. De esa forma las oigo varias veces y eso me ayuda a memorizarlas.
(Salma, Marruecos)

A veces, para aprender varias palabras, me invento una historia muy corta con ellas y la repito en diferentes momentos y en diferentes días hasta que la digo sin ninguna dificultad.
(Stefan, Alemania)

b ¿Aplicas, además, otras estrategias? ¿Cuáles te resultan más útiles?

c Elige una palabra que consideres difícil de recordar y pregunta a tus compañeros qué técnica han utilizado para memorizarla. ¿Crees que también te puede servir a ti?

2 **Señala las palabras que no entiendas y averigua su significado. Aplica las estrategias que consideres**
a **apropiadas para tratar de memorizarlas.**

- sincero
- paciente
- impaciente
- introvertido
- vago
- travieso
- seguro
- inseguro
- conservador
- hablador
- arrogante
- aburrido
- divertido
- agradable
- desagradable
- abierto
- cerrado
- valiente
- miedoso
- optimista
- pesimista
- romántico
- sensible
- insensible
- cariñoso
- majo

b **Estas expresiones sirven también para describir el carácter. Asegúrate de que las entiendes.**

Tener un Ser de	carácter	fuerte débil fácil difícil

Tener	mucho poco mal	carácter
Tener sentido del humor		

c **Copia en tu cuaderno las palabras que no conocías. Luego, cierra el libro y escribe la traducción en tu**
lengua.

3 **Pronuncia las palabras de 2a. Luego, elige las más difíciles de pronunciar y practícalas con ayuda del**
profesor. Presta atención a las que son parecidas en tu lengua pero no se pronuncian igual.

4 **¿Cuáles de los adjetivos de 2a pueden tener sentido positivo? ¿Y negativo? Escríbelos en la columna**
a **correspondiente.**

Sentido positivo	Sentido negativo
sincero	

b **Subraya los adjetivos que tengan la misma forma en masculino y en femenino. Fíjate en sus**
terminaciones y formula la regla.

Los adjetivos terminados en .... tienen la misma forma en masculino y en femenino.

Cuantificadores

5 **Asegúrate de que entiendes estas palabras, que se pueden usar con los adjetivos de 2a.**
a

algo   más bien   demasiado   nada   (un) poco   muy   bastante

b **Trata de ordenarlas de más a menos según el significado que pueden tener.**

+ ●———●———●———●———●———●———●→ —

6 Lee las viñetas y completa los diálogos con estas frases.

a

1. Esta niña es un poco egoísta.

2. Soy muy poco trabajador.

3. Este alumno es un vago.

b Lee las viñetas de nuevo con atención y responde a las preguntas.

- ¿El adjetivo que se ha utilizado con *un poco* tiene sentido positivo o negativo? • ¿Y el que se ha empleado con *poco*? • ¿Y el que se ha usado con *un*?

7 Completa esta ficha.

a

	(Creo que) Soy...	Me gustan las personas que son...
... muy		
... más bien		
... un poco		
... algo		
... bastante		
... poco		
... demasiado		
... (no) ... nada		

b Compara tu ficha con la de un compañero. ¿Sois compatibles? Justificad la respuesta.

Yo creo que somos compatibles porque (a ti te gustan las personas muy sinceras y yo creo que soy bastante sincero)...

8 Vas a escuchar a dos amigos, Rocío y Alberto, hablando acerca de si son compatibles. Escucha a Alberto

a y toma notas sobre el tipo de personas que le gustan.

🎧 1|29

b Ahora escucha a Rocío y toma notas sobre su personalidad. ¿Crees que es compatible con Alberto?

🎧 1|30

9 En grupos de cuatro. Piensa en el carácter de una persona, famosa o no, conocida por los cuatro, y descríbeselo a tus compañeros para que adivinen quién es.

Relaciones personales, impresiones y parecidos

10 **Lee lo que dicen estas personas y asegúrate de que lo entiendes.**

a

> Yo me llevo muy bien con mi compañera de oficina, tengo mucha confianza con ella y nos entendemos perfectamente.
> **Álvaro**

> A mí mi jefe me cae bastante mal: me parece una persona individualista, insensible y orgullosa.
> **Juan**

> Yo me parezco mucho a mi padre: soy igual que él y tenemos la misma forma de ser.
> **Merche**

b **¿Verdadero o falso? Lee estas informaciones y señálalo.**

	V	F
1. Álvaro se lleva estupendamente con su compañera de oficina.	☐	☐
2. A Juan su jefe no le cae nada bien.	☐	☐
3. Merche y su padre se parecen en la forma de ser.	☐	☐

11 **Observa cómo se han utilizado los verbos _caer_ y _llevar_ en los textos de 1Oa, y con qué pronombres. Luego, completa estos cuadros.**

Pronombres de objeto indirecto

(A mí)		me		estupen-damente.
(A ti)				bien.
(A él/ella/usted)	Luis		cae	mal.
(A nosotros/nosotras)				fatal.
(A vosotros/vosotras)				regular.
(A ellos/ellas/ustedes)				

Pronombres reflexivos

(Yo)	me	llevo	estupen-damente	
(Tú)			bien	
(Él/ella/usted)			mal	con Ana.
(Nosotros/nosotras)			fatal	
(Vosotros/vosotras)			regular	
(Ellos/ellas/ustedes)				

12 **Completa con informaciones sobre ti. No olvides usar los verbos _caer_, _llevarse_ y _parecerse_.**

a

1. ... me cae muy bien.
2. Yo me parezco bastante a...
3. Me llevo fatal...
4. El/la presidente/-a de mi país...
5. ... mi profesor/a de español.
6. ... mi abuela.
7. El/la director/a del centro donde estudio...
8. Mi padre y yo...

b **Intercámbialas con un compañero. ¿Te sorprende algo de lo que ha escrito?**

13 **Piensa en personas con las que os relacionáis tu compañero y tú, y coméntale cómo te llevas con ellas.**

- ¿Yo me llevo... con... Y tú, ¿cómo te llevas con él/ella?
- Yo me llevo..., (la verdad es que) me cae...

14 **En parejas. Pensad en varios personajes polémicos y comentad cómo os caen.**

A mí... me cae... Y a ti, ¿qué tal te cae?

Sentimientos y cambios de estado de ánimo

15
a ¿Sabes qué significa *insomnio*? En caso negativo, lee el cómic y trata de deducirlo. Luego, léelo otra vez y anota las palabras y expresiones nuevas.

b En grupos de tres. Si tus compañeros conocen el significado de algunas de ellas, pídeles que te lo expliquen. Luego, intentad deducir el significado de las demás y comprobad con el profesor.

16 Completa este texto sobre el cómic.

Pepe Gutiérrez pasa muy malas noches; no se duerme, se .... nervioso y, al final, ... enfada. Se levanta cansado y muy triste. La verdad es que no puede dormirse por la noche porque .... mucho durante el día. Sus compañeros de trabajo .... han dado varias sugerencias, pero no le han servido de nada. Sin embargo, ha descubierto que hay una música que le relaja y .... ayuda a dormirse. El problema es que cuando la pone en la oficina también .... duerme.

17 Subraya las palabras y expresiones utilizadas en el cómic para expresar sentimientos y estados de
a ánimo y físicos.

b Fíjate en las expresiones formadas con los verbos *ponerse* y *dar*. ¿Cuál de ellos va seguido de un
sustantivo? ¿Y de un adjetivo?

c Cada una de estas palabras puede usarse con *ponerse* o *dar* para formar expresiones fijas. Relaciona
cada una con el verbo correspondiente.

• miedo   • triste   • pena   • vergüenza   • contento   • lástima   • de buen/mal humor

18 Observa cómo podemos usar estas expresiones.
a

Para expresar sentimientos y cambios de estado de ánimo

1. Con *dar*
• Me **da** miedo | ir al dentista.
  | el dentista.
• Me **dan** miedo **los dentistas.**

2. Con *ponerse*
• **Me pongo** ner-vioso | **cuando discuto** con alguien.
  | **si discuto** con alguien.

3. Con *molestar, preocupar* y *no soportar*.
• Me **molesta/preocupa** | oír el ruido de las motos.
  | **el ruido** de las motos.
• Me **molestan las motos.**
• **No soporto** | **estar** en un atasco.
  | **el tráfico** atascado.
• **No soporto los atascos.**

b ¿Cuándo se usan *dar*, *molestar* y *preocupar* en 3.ª persona del singular? ¿Y en 3.ª persona del plural?

c ¿Te identificas con alguna de estas informaciones? Señálalo y coméntalo con un compañero.

☐ A mí me da bastante vergüenza hablar en público.
☐ Me da pena la gente que lo pasa mal.
☐ A mí no me dan miedo las serpientes.
☐ No soporto a las personas mentirosas.

☐ A mí me preocupan mucho algunos problemas sociales.
☐ Yo me pongo nervioso si quiero decir algo y no sé cómo decirlo.
☐ Me pongo muy contento cuando recibo regalos que no espero.

19 ¿Verdadero o falso? En grupos de cuatro. Preguntaos para averiguarlo.

V F

1. Los cuatro os ponéis nerviosos cuando no comprendéis lo que os dicen. ☐ ☐
2. A uno de vosotros le da mucho miedo ir en avión. ☐ ☐
3. A ninguno de vosotros le molesta la publicidad de la televisión. ☐ ☐
4. A dos de vosotros os pone de mal humor no poder hablar con alguien. ☐ ☐
5. A todos os pone de buen humor cantar. ☐ ☐
6. A uno le da mucho miedo pensar en la muerte. ☐ ☐
7. Todos os ponéis muy contentos cuando pensáis en una persona a la que queréis mucho. ☐ ☐

¿Te pones nervioso cuando no comprendes lo que te dicen?

20 Compara estas dos frases y responde a las preguntas.

a

> Me da miedo conducir muy rápido.

> Me da miedo que conduzcas muy rápido.

- ¿En cuál de ellas se hace referencia a dos personas distintas?
- ¿Qué tiempo verbal se ha utilizado en esa frase?

b Relaciona las dos partes de cada frase de la forma más apropiada. ¿Te identificas con alguna?

1. Me molesta que...	**A.** ... aumente la contaminación.
2. Me da pena que...	**B.** ... mis vecinos pongan la música altísima.
3. Me da vergüenza que...	**C.** ... muchos niños no puedan ir al colegio.
4. No soporto que...	**D.** ... me despidan de mi trabajo.
5. Me da miedo que...	**E.** ... hablen de mí en público.
6. Me preocupa que...	**F.** ... me griten cuando me hablan.
7. No soporto que...	**G.** ... la gente no haga lo que dice que va a hacer.

c ¿También te producen esos sentimientos otras cosas? Escríbelo.

Me molesta que los teléfonos móviles suenen en los actos públicos.

21 Escucha a Rocío y Alberto. ¿Qué sentimientos les producen estas situaciones? Anótalo.

1|31

Alberto		Rocío
....	• no poder dormirme	....
....	• hacerme esperar	....
....	• el fin de semana	....
....	• las vacaciones	....
....	• los accidentes de tráfico	....
....	• los embotellamientos de tráfico	....
....	• la mala educación	....
....	• gritarme	....

22
a
Piensa en los sentimientos que te producen estas cosas.

- Hay personas que no respetan nada la naturaleza.
- El profesor me dice que hago progresos.
- Mucha gente pasa hambre.
- Hace buen tiempo.
- Algunas personas no respetan las ideas de los demás.
- Hablar mejor en español.
- Las enfermedades graves.
- Las personas muy arrogantes.
- Reconocer que no sé algo muy fácil.

b
Coméntalo con tus compañeros. ¿Coincidís en muchas cosas?

- A mí me molesta que haya personas que no respetan nada la naturaleza.
- A mí también. Me parece increíble.

Recuerda

COMUNICACIÓN

Describir el carácter de una persona

- Es una chica sincera, bastante cariñosa y un poco vaga.

GRAMÁTICA

Cuantificadores: demasiado, bastante, muy, más bien, (un) poco, algo, nada

(Ver resumen gramatical, apartado 15.1)

Poco + adjetivo de sentido positivo
Un poco + adjetivo de sentido negativo
Un(a) + adjetivo de sentido negativo

(Ver resumen gramatical, apartados 15.2 y 15.3)

COMUNICACIÓN

Hablar de relaciones personales

- ¿Qué tal te llevas con Elvira?
- Bastante bien, ¿y tú?
- Yo me llevo fatal con ella; es insoportable.

Expresar afecto

- A mí Andrea me cae bastante bien. Y a ti, ¿qué tal te cae?
- Regular, no muy bien.

Expresar parecidos

- Yo me parezco mucho a mi padre. ¿Y tú?
- A mi padre en el físico y a mi madre en la forma de ser.

COMUNICACIÓN

Expresar sentimientos y cambios de estado de ánimo

- A mí me da miedo la oscuridad.
- A mí me pone muy nerviosa la impuntualidad.
- Me da vergüenza hacer ciertas cosas en público.
- No soporto escuchar siempre las mismas excusas.
- Me dan miedo algunos perros.
- Yo me pongo nervioso cuando tengo un examen.
- Me da miedo que me despidan de mi trabajo.
- Me preocupa que mientas tanto.
- No soporto que me telefoneen cuando estoy durmiendo.

GRAMÁTICA

Me da miedo/pena/lástima/vergüenza Me pone triste Me preocupa Me molesta No soporto	+ sustantivo singular + infinitivo + *que* + subjuntivo
Me dan miedo/pena/... Me ponen triste Me preocupan	+ sustantivo plural
Me enfado Me pongo nervioso/triste/contento/ de buen humor	+ *cuando/si* + indicativo

(Ver resumen gramatical, apartados 16.2.2, 16.4, 16.5, 16.6 y 16.7)

Conversaciones de ascensor

 1 **a** Lee el texto y pregúntale al profesor qué significa lo que no entiendas.

CONVERSACIONES DE ASCENSOR

Por algún motivo curioso, hay muchas personas que no saben estar calladas. Simplemente se encuentran incómodas en silencio y necesitan hablar. Eso les pasa, por ejemplo, cuando van en ascensor con gente a la que no conocen de nada.

En un espacio tan reducido como el de un ascensor, se pueden juntar varias personas que no se han visto nunca y tienen que estar apretadas unas contra otras por la falta de espacio mientras suben o bajan unas cuantas plantas. Y todo eso intentando no tocarse y sin hablar nada. Un horror. Pero la situación es todavía más molesta cuando solo van dos personas. En ese caso puede suceder perfectamente lo siguiente:

Vas a tomar el ascensor y hay alguien esperando, qué casualidad.

—Hola.

—Hola.

Simple intercambio de saludos. Por fin, después de un largo silencio, llega el ascensor.

—¿A qué piso vas?

—Al sexto.

—Vale, yo al séptimo

Miras los botones, la puerta, el suelo; levantas la vista, la bajas... Empiezas a notar que estás incómodo y sientes la necesidad de decir algo, cualquier cosa, algo para romper el hielo. Todos los temas de conversación te parecen arriesgados y al final recurres al de siempre: el tiempo.

—Ya empieza a hacer calor, ¿eh? —dice en ese momento el otro. Tú piensas: "Pues claro que hace calor, si estamos ya en julio", y el otro piensa: "Pues claro que hace calor, qué tonterías digo; si estamos ya en julio, ¿cómo no va a hacer calor?". Y continúa el diálogo.

—Es que la primavera ha sido muy rara —, frase comodín.

—Sí, porque mira que ha llovido... —, y a esta frase le siguen otras parecidas hasta que llegáis al piso de uno de los dos, que se despide y sale casi corriendo y con una verdadera sensación de alivio. Claro que el que se queda dentro no se siente menos aliviado.

b **Busca en el texto sinónimos de estas palabras y expresiones.**

- en silencio
- darte cuenta
- ha llovido mucho
- pisos
- no importa qué
- similares

c **Asegúrate de que entiendes estos adjetivos. ¿Cuáles de ellos usarías para describir la situación del apartado a)?**

- agradable
- molesta
- relajada
- embarazosa
- desagradable
- violenta

- deseada
- no deseada
- ridícula
- tensa
- casual
- incómoda

En mi opinión, es una situación (embarazosa...)

d **¿Tú también reaccionas así cuando coincides con algún desconocido en un ascensor? ¿Hablas con él? ¿De qué?**

Cuando coincido con algún desconocido en un ascensor, (yo también necesito hablar. Si no hablo, puedo sentirme incómodo. E incluso, si la situación es algo tensa, a veces me pongo un poco nervioso).

Una canción

1
a Lee la letra de este poema incompleto. Luego, relaciona los dibujos con palabras del poema.

1

2

3

Érase una vez
un .... bueno
al que maltrataban
todos los ....

Y había, también,
un príncipe ....,
una bruja ....
y un .... honrado.

Todas estas cosas
había una vez.
Cuando yo soñaba
un mundo al revés.

JOSÉ AGUSTÍN GOYTISOLO,
"*El lobito bueno*".
Música: PACO IBÁÑEZ.

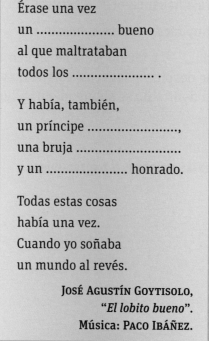

4

5

b Completa el poema con una palabra de cada par, teniendo en cuenta el significado de *un mundo al revés*.

lobos-corderos

hermosa-fea

corderito-lobito

héroe-pirata

bueno-malo

c Escucha y comprueba.

1|32

d Asegúrate de que entiendes estos nombres de otros protagonistas de cuentos infantiles y relaciónalos con los dibujos.

①
- una serpiente
- un dragón
- un elefante

②
- un fantasma
- un tigre
- una princesa

③
- un rey
- un hada
- un cocodrilo

④
- una reina
- un monstruo

⑤ ⑥ ⑦

e Forma diez pares de contrarios con estos adjetivos usados en los cuentos infantiles.

- desgraciado • gigante • visible • vago • feroz • pobre • injusto • listo • cobarde • tolerante
- invisible • feliz • trabajador • enano • manso • justo • rico • tonto • intolerante • valiente

f En parejas. Componed otra canción sobre protagonistas de cuentos. No olvidéis el título. Pedidle ayuda al profesor si la necesitáis.

> ....
>
> Érase una vez
>
> ....
>
> ....
>
> ....
>
> Y había, también,
>
> ....,
>
> ....
>
> ....
>
> Todas estas cosas
> había una vez.
> Cuando yo soñaba
> un mundo al revés.

g Intercambiadla con otra pareja, corregid la que recibáis e intentad cantarla.

7 Vida sana

OBJETIVOS

- Describir problemas
- Pedir consejo
- Aconsejar
- Proponer y sugerir
- Ponerse en el lugar del otro
- Reaccionar ante un consejo

1
a Lee estos chistes incompletos de Forges y El Perich, y averigua qué significan las palabras que no comprendas.

b Complétalos con estas frases.

A. Bueno; pero solo dos a la semana.
B. Te estoy diciendo que fumar es malísimo,

C. Creo que he conseguido la enfermedad perfecta:
D. ¡Sí, un cero en gimnasia!

c ¿En cuál de esos chistes una persona...

... está contenta porque se ha lesionado?
... se alegra porque el médico le permite hacer algo?
... no le presta atención a otra?
... piensa que la otra persona no está en condiciones de criticarla?

2 Asegúrate de que entiendes estos consejos. ¿Con cuáles relacionas los chistes anteriores?

a

CONSEJOS PARA VIVIR MUCHOS AÑOS

1. Aliméntese bien. Siga una dieta sana y asegúrese de que los alimentos que toma no contienen sustancias malas para la salud.
2. No abuse del alcohol ni de las medicinas. Evite el tabaco.
3. Duerma las horas que necesite.
4. Haga ejercicio físico regularmente.
5. Controle su peso.
6. Hágase revisiones médicas de forma periódica.
7. Evite las tensiones y el estrés.
8. Aproveche su tiempo libre para hacer cosas que realmente le gustan.
9. Descanse y relájese lo suficiente. Reserve un rato cada día para descansar y relajarse.
10. Cuide sus relaciones personales. Relaciónese con sus amigos y con la gente que le cae bien.

El Tiempo de Bogotá

El chiste número 1 lo relaciono con el consejo número…

b ¿Cuáles de los consejos que has leído sigues tú? Díselo a tu compañero.

Pues yo creo que me alimento (bastante bien porque tomo pocos dulces y mucha fruta y verdura…).

3
a En la actividad 2a se ha usado el imperativo para dar consejos. ¿En qué persona gramatical se han dado? ¿Con las formas de qué otro tiempo verbal coinciden las formas empleadas?

b ¿Recuerdas las formas del imperativo afirmativo correspondientes a *tú* y a *vosotros/vosotras*? Piensa en las de algunos verbos regulares y de otros irregulares, y anótalas. Luego, pregúntaselas al compañero.

- Poner, tú.
- Pon.

c Fíjate.

Para dar consejos (1)

Imperativo afirmativo

- **Haga** (usted) ejercicio físico.

Las formas del imperativo afirmativo son las mismas que las del presente de subjuntivo, excepto para *tú* y *vosotros/vosotras*.

- Espero que (usted) **haga** ejercicio físico.

Imperativo negativo

- **No abuse** (usted) del alcohol.
- **No abuses** (tú) del alcohol.

Todas las formas del imperativo negativo coinciden con las del presente de subjuntivo.

- Espero que (usted) **no abuse** del alcohol.
- Espero que (tú) **no abuses** del alcohol.

4 Pasa la pelota. Di una forma en imperativo afirmativo o negativo correspondiente a *tú* o *usted* y pásale la pelota a un compañero para que diga la forma negativa o afirmativa correspondiente.

- Vuelve.
- No vuelvas.

5 Escribe los consejos de la actividad 2a con formas del imperativo correspondientes a *tú*.

1. Aliméntate bien. Sigue una dieta sana y asegúrate de que los alimentos que tomas no contienen sustancias malas para la salud.

6 **Lee este cómic incompleto y anota las palabras nuevas que encuentres.**

a

SERGIO SALMA

b **Averigua si tu compañero conoce alguna de las palabras que has anotado y pídele que te las explique. Luego, fijaos en el contexto para tratar de deducir el significado de las demás palabras anotadas. Comprobadlo con el profesor.**

c **¿Con qué adjetivos puedes describir el carácter de la abuela?**

d **En parejas. Decidid cuál puede ser el final del cómic y escribid el texto de la última viñeta. Luego, comprobad si se parece al original (os lo dará el profesor).**

7 ¿Qué cosas malas para la salud se mencionan en el cómic? ¿Y buenas? Anótalas en la columna
a correspondiente.

Cosas malas	Cosas buenas

b Anota también otras ideas que aparecen en los chistes de la actividad 1. ¿Puedes añadir otras?

c Relaciona algunas de las cosas que has anotado con las palabras del recuadro y explica por qué son
malas o buenas para la salud.

> cáncer   colesterol   relajar(se)   estar en forma

Fumar es malo para la salud porque produce cáncer.

8 Observa cómo se utiliza el pronombre *se* en estas dos frases y responde a las preguntas.
a

> **1.** Aliméntese bien; tome alimentos sanos.

> **2.** No se alimente mal; no tome comida rápida.

- ¿En qué caso el pronombre va detrás del imperativo, formando una sola palabra con él?
- ¿En qué caso se coloca delante del imperativo?

b Escribe algunos consejos originales y divertidos para tener una vida sana y alegre.

Haga ejercicio y relájese bailando rumbas.

c En grupos de tres. Comparad lo que habéis escrito y corregid los posibles errores. Luego, elegid los
consejos que os parezcan mejores y copiadlos en un cartel.

CONSEJOS PARA UNA VIDA SANA Y ALEGRE

Ríase diez minutos todas las mañanas.
Haga yoga si se encuentra en un atasco.

d Colocadlo en una pared del aula y leed los de los otros grupos. ¿Os gustan?

Problemas. Consejos para solucionarlos

9 Escucha y lee este diálogo.

a

🎧
2|1

- • Últimamente duermo mal, no tengo ganas de comer y estoy muy cansado.
- ○ Yo te aconsejo que vayas al médico, a ver qué te dice.
- • Si ya fui. Me dijo que era cansancio, me recetó unas pastillas, pero sigo igual... no sé qué hacer. ¿Qué haríais vosotras en mi lugar?
- ▪ Yo trabajaría menos o me tomaría unos días de vacaciones.
- • Es que no puedo; ahora tenemos muchísimo trabajo en la oficina.
- ○ Pues haz deporte, ve a nadar, trata de relajarte...
- • Si ya lo hago, pero me siento igual.
- ▪ Yo, en tu lugar, saldría más, quedaría más con los amigos, haría cosas que me gustan...
- • ¡Ah! Pues, mira, me parece una buena idea.
- ▪ ... Y creo que deberías darles menos importancia a los problemas del trabajo.
- • Sí, quizás les doy demasiada...

b Responde a las preguntas.

- • ¿Qué problema(s) tiene una de esas personas?
- • ¿Qué cosas ha hecho para solucionarlo(s)?
- • ¿Qué va a hacer?

c Escucha de nuevo y presta especial atención a la entonación.

🎧
2|2

d Practica el diálogo con dos compañeros.

10 En 9a, se han dado consejos con imperativo, subjuntivo y un tiempo verbal nuevo, el condicional simple. Observa su forma; ¿te recuerda a algún otro tiempo? Luego, completa el esquema.

Para dar consejos (2)

A. *Te aconsejo/recomiendo* | + infinitivo | • Te aconsejo **hacer** deporte.
| *que* + presente de subjuntivo | • Te recomiendo que **trabajes** menos.

B. Con **condicional simple**

• Yo, en tu lugar, **haría** deporte.

Condicional simple

Verbos regulares

		-ía
trabajar	trabajar-	-ías
....	comer-	-ía
....	dormir-	-íamos
		-íais
		-ían

Verbos irregulares

Los mismos que son irregulares en futuro simple, y con las irregularidades de ese tiempo.

....	tendr-	
poder	...........-	
....	pondr-	-ía
haber	...........-	-ías
....	sabr-	-ía
salir	...........-	-íamos
....	vendr-	-íais
hacer	...........-	-ían
....	dir-	
querer	...........-	

11 ¿Qué problemas crees que tienen los personajes de estas ilustraciones? Coméntalo con un compañero.

a

b Escucha y empareja cada conversación con la ilustración correspondiente.

2|3

c ¿Qué haríais vosotros en esas mismas situaciones? Comentadlo con la clase.

d Vuelve a escuchar y anota los consejos que reciben los personajes. ¿Coinciden con algunos de los que habías pensado?

2|4

12 ¿Con qué problemas relacionas cada uno de estos consejos?

a

> **1.** Yo, en tu lugar, dejaría de comer dulces y tomaría menos grasas.

> **2.** Yo que tú, dejaría de tomar café.

> **3.** Yo te aconsejo que dejes de pensar en él.

b Imagínate que tienes uno de esos problemas; cuéntaselo a tu compañero y pídele otros consejos.

... y no sé qué hacer. ¿Qué harías tú en mi lugar?

13 En grupos de cuatro. Por turnos, el profesor os muestra a tres de vosotros una tarjeta donde se describe el problema que tiene vuestro compañero. Vosotros le dais consejos a este ¡sin mencionar el problema!, hasta que lo adivine. Luego, continuáis con el problema de otro compañero.

14 En la vida se pueden dar y recibir consejos para hacer y conseguir muchas cosas. En este fragmento de la canción que vas a escuchar, Joaquín Sabina nos da unos consejos para vivir cien años.

a Escucha la canción y lee la letra. Luego, pregúntale al profesor qué significa lo que no entiendas.

2|5

PASTILLAS PARA NO SOÑAR

Si lo que quieres es vivir cien años,
no pruebes los licores del placer.
Si eres alérgico a los desengaños,
olvídate de esa mujer,
compra una máscara antigás,
mantente dentro de la ley.
Si lo que quieres es vivir cien años,
¡haz músculos de cinco a seis!

Y ponte gomina, que no te despeine
el vientecillo de la libertad;
funda un hogar en el que nunca reine
más rey que la seguridad;
evita el humo de los clubs,
reduce la velocidad.
Si lo que quieres es vivir cien años,
vacúnate contra el azar.

Deja pasar la tentación,
dile a esa chica que no llame más.
Y si protesta el corazón,
en la farmacia puedes preguntar:
"¿Tienen pastillas para no soñar?".

JOAQUÍN SABINA: "Pastillas para no soñar",
Física y Química.

b Subraya las formas verbales en imperativo que aparecen en la canción.

c Ahora vas a cambiar el sentido de la canción. Para ello, sustituye los consejos afirmativos por consejos negativos, y al contrario.

> Olvídate de esa mujer. → No te olvides de esa mujer.
> No pruebes los licores del placer. → Prueba los licores del placer.

Haz también todos los cambios que necesites en la letra de la canción.

d ¿Con cuál de las dos canciones crees que se puede vivir más años? ¿Y con cuál se puede vivir mejor? Coméntalo con tus compañeros.

e Es posible que no estés de acuerdo con todo lo que dicen las dos canciones, por eso ahora vas a tener la oportunidad de componer "tu propia canción" con los versos de los apartados a) y c) que consideres apropiados para vivir cien años.

f Por último, compárala con la de un compañero y comprueba si coinciden muchos consejos. Luego, podéis cantarlas.

Recuerda

COMUNICACIÓN

Describir problemas

- Últimamente estoy muy nerviosa, duermo mal y no tengo ganas de comer.

Aconsejar
Proponer y sugerir

- Haga ejercicio.
- No fume.
- Manténgase en forma.
- No se alimente mal.
- Te aconsejo que te tomes unas vacaciones.
- Yo te recomiendo trabajar menos.

GRAMÁTICA

Imperativo afirmativo
Imperativo negativo
> (Ver resumen gramatical, apartados 1.5.1, 1.5.2 y 19.2.3)

Imperativo afirmativo + pronombres personales
Imperativo negativo + pronombres personales
> (Ver resumen gramatical, apartados 1.5.1.1 y 1.5.2.1)

Aconsejar/recomendar + | infinitivo
que + presente de subjuntivo
> (Ver resumen gramatical, apartado 19.2.1)

COMUNICACIÓN

Pedir consejo

- No sé qué hacer. ¿Qué harías tú en mi lugar?

GRAMÁTICA

Condicional simple
> (Ver resumen gramatical, apartados 1.7 y 19.1)

COMUNICACIÓN

Ponerse en el lugar del otro

- Yo, en tu lugar, dejaría de fumar y seguiría haciendo deporte.

GRAMÁTICA

Yo, en tu lugar, / yo que tú, + condicional simple
> (Ver resumen gramatical, apartado 19.2.2)

Dejar de + infinitivo
Seguir
Continuar | + gerundio

COMUNICACIÓN

Reaccionar ante un consejo

- Si ya lo hago, pero sigo igual y no sé qué hacer.
- ¡Ah! Pues, mira, me parece una buena idea.

GRAMÁTICA

Reaccionar ante un consejo
> (Ver resumen gramatical, apartado 19.3)

El descanso en España

1 **Comenta con la clase las respuestas a estas preguntas.**

a

- ¿Qué sabes sobre la siesta?
- ¿Crees que la duerme la mayoría de los españoles?
- ¿Piensas que las ciudades españolas son muy ruidosas?

b **Lee y comprueba.**

HÁBITOS DE DESCANSO

En un estudio sociológico realizado en España sobre los hábitos de descanso de sus habitantes se destacan los siguientes hechos:

Casi uno de cada cuatro españoles duerme la siesta cada día. Valencia es la comunidad autónoma donde más personas tienen esa costumbre. Sin embargo, los valencianos son los que duermen las siestas más cortas en días laborables. Además, son los primeros en acostarse y los que más roncan (el 38 % de los españoles confiesa que ronca).

Un 85 % de la población duerme de cinco a ocho horas entre semana. En un día festivo hay un 45 % de españoles que descansa nueve, diez e incluso once horas. En días laborables, el 66,3 % de los españoles se acuesta entre las 23 y las 24 h. Los fines de semana, más de la mitad de la población se acuesta después de la una.

La calidad de sueño de los españoles es buena y los hombres duermen mejor que las mujeres.

Un 33 % de los ciudadanos lee en la cama, un 29 % ve la televisión y un 13,5 % fuma justo antes de dormir.

Aunque se dice que las ciudades españolas son ruidosas y que los niveles de contaminación acústica son elevados en muchas de ellas, parece que a sus habitantes no les afecta o tienen un nivel de tolerancia muy alto: solo un 22 % de los encuestados menciona la existencia de ruidos durante la noche. Los que más dificultan el sueño son los producidos por el tráfico (38 %) y los vecinos (26 %).

En cuanto al dormitorio y la cama como factores que pueden afectar al descanso, el estudio indica que a un 72 % de la población le preocupa más la calidad del resto de la casa que la del dormitorio. Un 81 % gasta más en otro tipo de muebles que en la cama, y un 57 % la renueva con menos frecuencia que el resto de los muebles de la casa.

Nuevo Estilo

c **¿Verdadero o falso? Mira el texto y señálalo.**

V   F

1. Andalucía es la comunidad autónoma en la que más se duerme la siesta. ☐ ☐
2. La mitad de los españoles ronca por la noche. ☐ ☐
3. Los fines de semana, los españoles se van a la cama más tarde y duermen más. ☐ ☐
4. Entre semana, la mayor parte de la gente se acuesta de once a doce de la noche. ☐ ☐
5. Por lo general, los hombres tienen menos problemas con el sueño que las mujeres. ☐ ☐
6. Los ruidos no permiten dormir bien a una tercera parte de la población. ☐ ☐
7. Para los españoles, el dormitorio no es la habitación más importante de la casa. ☐ ☐

d **Comenta con la clase las respuestas a estas preguntas.**

- ¿Sueles hacer tú también alguna de las cosas que se mencionan en el texto? ¿Cuáles?
- ¿Consideras que los hábitos de descanso existentes en tu país son muy distintos a los de España? ¿En qué se diferencian?

Un test sobre tu alimentación

1 **Alimentarse bien ayuda a tener una vida sana. Con una alimentación adecuada se puede vivir más y mejor.**

a **¿Crees que tú sigues una dieta saludable? Para comprobarlo puedes hacer este test, basado en uno que propone el Ministerio de Sanidad de España. Consulta el diccionario cuando lo necesites.**

DESCUBRE SI TU ALIMENTACIÓN ES CORRECTA

1. ¿Qué cantidad de fruta y verdura tomas cada día?
   a. Dos piezas o más de fruta y dos raciones o más de verdura. (2 puntos)
   b. No tomo fruta y verdura cada día. (0 puntos)
   c. Una pieza de fruta y una ración de verdura. (1 punto)

2. ¿Cuántas veces a la semana comes legumbres?
   a. Dos veces o más. (2 puntos)
   b. Una vez o menos. (1 punto)
   c. No tomo habitualmente, solamente de vez en cuando. (0 puntos)

3. ¿Y carnes grasas (rojas) y embutidos?
   a. Tres o cuatro veces a la semana. (1 punto)
   b. Una o dos veces a la semana. (2 puntos)
   c. Todos los días. (0 puntos)

4. ¿Cuántas veces a la semana consumes pescado?
   a. Una o dos veces. (1 punto)
   b. No consumo cada semana. (0 puntos)
   c. Tres veces o más. (2 puntos)

5. ¿Tomas lácteos a diario?
   a. Tres veces como mínimo. (2 puntos)
   b. Dos veces como máximo. (1 punto)
   c. Una vez. (0 puntos)

6. ¿Qué cantidad de huevos consumes semanalmente?
   a. Todos los días tomo alguno. (0 puntos)
   b. Unos cuatro por semana. (1 punto)
   c. Dos a la semana como máximo. (2 puntos)

7. ¿Qué tomas de postre?
   a. No suelo tomar postre. (0 puntos)
   b. Fruta. (2 puntos)
   c. Yogur u otro lácteo. (1 punto)

8. ¿Qué sueles desayunar?
   a. Fruta, café/té/cacao y pan como mínimo. (2 puntos)
   b. Café/té/cacao y poco más. (1 punto)
   c. Normalmente nada. (0 puntos)

9. ¿Cuánta agua bebes al día?
    a. Seis vasos como mínimo. (2 puntos)
    b. Entre dos y cinco vasos. (1 punto)
    c. Menos de dos vasos. (0 puntos)

10. ¿Tomas refrescos azucarados, bollería industrial o aperitivos con frecuencia?
    a. Solamente de vez en cuando. (2 puntos)
    b. Varias veces a la semana. (1 punto)
    c. Todos los días. (0 puntos)

11. ¿Tomas sal en las comidas?
    a. Nunca o casi nunca. (2 puntos)
    b. En algunos platos. (1 punto)
    c. En todos o casi todos los platos. (0 puntos)

12. ¿Consumes "comida rápida" o platos preparados?
    a. Varias veces por semana. (0 puntos)
    b. Una vez a la semana. (1 punto)
    c. Dos veces al mes como máximo. (2 puntos)

RESULTADOS

Entre 16 y 24 puntos: tu dieta es saludable. Sigue así, vas por buen camino.

Entre 12 y 15 puntos: tu alimentación es correcta, pero deberías mejorarla tomando a diario ciertos alimentos como verdura, fruta, cereales o pescado.

Menos de 12 puntos: toma ciertas medidas ya. Modifica, por ejemplo, algunos hábitos para reducir la cantidad de grasas y sal que tomas.

Ministerio de Sanidad de España y Saber Vivir.

b **Asegúrate de que entiendes los nombres de estos alimentos y escribe cada uno de ellos en la columna correspondiente.**

- lentejas - calabacín - pechuga de pollo - cereza - marisco - magdalena - chorizo - berenjena
- piña - costillas de cordero - salchichón - garbanzos - kiwi - bizcocho - espinacas - lomo de cerdo
- gambas - judías blancas - salmón - zanahoria - pera - pimiento - uvas - solomillo de ternera

Fruta	Verdura	Legumbres	Carne	Embutidos	Pescado	Bollería industrial
		lentejas				

c **Lee otra vez el test del apartado a) y escribe las palabras cuyo significado has averiguado consultando el diccionario y otras que te parezcan útiles o difíciles.**

    legumbres

d **Ahora utilízalas para descubrir hábitos de alimentación de un compañero. ¿Son muy parecidos a los tuyos?**

    - ¿Cuántas veces a la semana comes legumbres?
    o Unas dos veces. ¿Y tú?
    - Una vez más o menos.

OBJETIVOS

- Pedir un favor
- Pedir objetos
- Pedir ayuda
- Pedir permiso
- Responder a una petición
- Pedir que se transmita un mensaje
- Transmitir informaciones, preguntas y peticiones

1 **Identifica las partes de un terminal informático de trabajo.**

a

- unidad central
- monitor
- pantalla
- tecla
- teclado
- escáner
- ratón
- puerto USB
- impresora (láser)
- grabadora de DVD

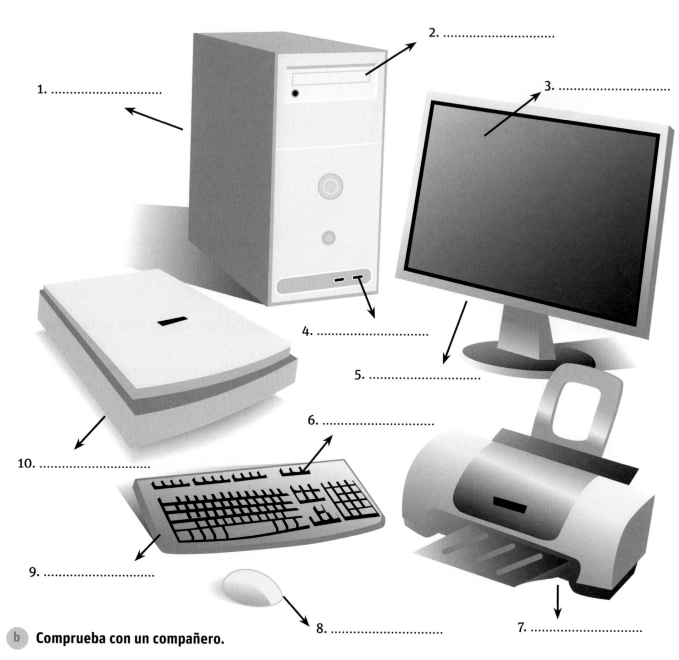

1. ....

2. ....

3. ....

4. ....

5. ....

6. ....

7. ....

8. ....

9. ....

10. ....

b **Comprueba con un compañero.**

- ¿Cuál es (la unidad central)?
- El número...

2 Busca en el diccionario cinco palabras que no conozcas.

a

- contraseña
- nombre de usuario
- antivirus
- icono
- navegador/buscador
- línea ADSL

- conectarse · a internet
  tener conexión

- buscar · información · en internet
  intercambiar · datos
  colgar · documentos
  · imágenes
  subir fotos/vídeos a internet

- consultar · una página web
  entrar en

- descargar(se) · un programa
  bajar(se) · un archivo
  · música
  · películas

- enviar · un correo (electrónico)
  reenviar · un documento
  · una copia (oculta)

- abrir · un documento
  cerrar
  guardar
  eliminar
  adjuntar

- hacer (doble) clic
- pulsar (una tecla)

- instalar · un programa
  desinstalar

b Averigua el significado del resto de palabras que no conozcas preguntando a algún compañero.

3 Pon a prueba tus conocimientos de informática. Empareja las frases.

a

1. Se puede eliminar un texto...	A. ... descargarse películas protegidas por derechos de autor.
2. Si tienes conexión a internet, ...	B. ... hay que hacer doble clic en el icono correspondiente.
3. Si cuelgas un documento en internet, ...	C. ... pulsando las teclas "CTRL" y "X".
4. Los navegadores...	D. ... puedes recuperarlo cuando lo necesites.
5. Para abrir un archivo...	E. ... puedes recibir y enviar correos, documentos y fotos.
6. Es ilegal...	F. ... te permiten buscar páginas web en internet.
7. El ratón...	G. ... lo pueden ver otros usuarios.
8. Un programa antivirus...	H. ... mueve el cursor por la pantalla.
9. Si guardas un documento, ...	I. ... te protege de amenazas a tu ordenador.

1. ..C.. 2. ...... 3. ...... 4. ...... 5. ...... 6. ...... 7. ...... 8. ...... 9. ......

b Escribe algunas frases verdaderas o falsas. Luego, díselas a un compañero.

Si eliminas un documento en tu ordenador por error, puedes recuperarlo.

4 **Observa las ilustraciones y emparéjalas con las instrucciones correspondientes.**

a

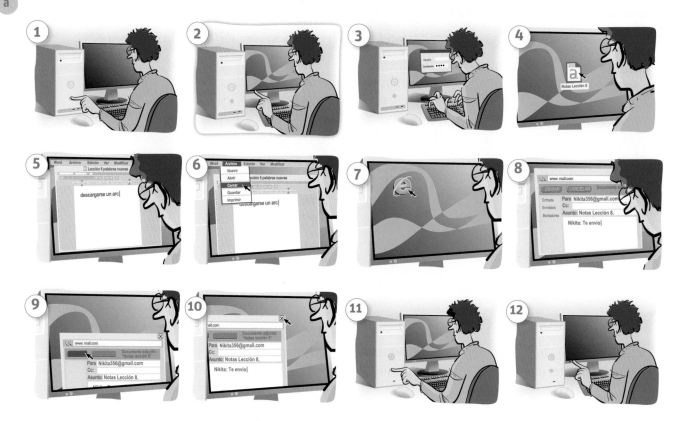

A. Entra en internet y abre tu correo.
B. Cierra esa pantalla.
C. Enciende el ordenador.
D. Abre el archivo de notas de la lección 8.
E. Guarda y cierra el archivo.
F. Apaga el monitor.

G. Enciende el monitor.
H. Escribe algunas palabras nuevas.
I. Adjunta el archivo y envíaselo.
J. Escribe tu contraseña.
K. Escribe una nota a un compañero.
L. Apaga el ordenador.

1. ..C.. 2. ...... 3. ...... 4. ...... 5. ...... 6. ...... 7. ...... 8. ...... 9. ...... 10. ...... 11. ...... 12. ......

b **Escucha y comprueba.**

2|6

c **En parejas. Observa las ilustraciones de a) y da las instrucciones a un compañero para que las ejecute.**

Enciende el ordenador.

d **Prepara una nueva secuencia de instrucciones y dáselas a tus compañeros.**

Enciende el ordenador y el monitor.

5 Observa y escucha las situaciones siguientes.

2|7

¿En cuál o cuáles de ellas...   ... se pide un objeto?   ... se acepta la petición?
... se pide ayuda?   ... se pide permiso?   ... se rechaza la petición?
... se pide un favor?

1 Rosa, ¿puedes ayudarme a descargarme un antivirus? Tú entiendes de esto más que yo.

Claro. Te puedo descargar uno gratuito.

2 ¿Podrías hacerme un favor, Pedro? ¿Te importaría enviarme el currículum del nuevo becario a mi correo?

Claro que no. Te lo envío dentro de un rato.

3 ¿Te importa si uso tu ordenador un minuto para ver mi correo?

Bueno.

¿Puedes decirme la contraseña?

Perdona, es que es secreta. La escribo yo.

4 ¿Puedes dejarme un DVD? Quiero hacer una copia de las fotos de la manifestación.

Sí, ahora te lo doy.

5 ¿Podría descargar las fotos en tu ordenador? Es que tengo la cámara llena.

Claro. Ahora te lo dejo.

6 Fíjate.

Pedir un favor

¿Puedes ¿Podrías	
¿Te	importa importaría

+ infinitivo?

- ¿Me haces un favor? **¿Podrías enviarme** toda esa información en un correo?
- **Claro que sí.**

- Miguel, **¿te importaría echarle** un vistazo a este texto y **corregirlo**, por favor?
- **Lo siento, pero es que** ahora no tengo tiempo.

Pedir objetos

¿Puedes ¿Podrías	darme...? dejarme...?
¿Te importa importaría	prestarme...? pasarme...? traerme...?

- **¿Te importaría dejarme** tu cámara para hacer una foto? Es que no tengo la mía aquí.
- **Bueno, pero** trátala bien, ¿eh?

- Me he dejado la cartera en casa. **¿Podrías prestarme** algo de dinero?
- **Claro.** ¿Cuánto necesitas?

Pedir ayuda

¿Puedes ¿Podrías	ayudarme (a + infinitivo)?
¿Te importa importaría	+ infinitivo?

- **¿Te importaría ayudarme a instalar** este antivirus, por favor? Yo no entiendo mucho de esto.
- **Claro que no.** Ahora mismo.

- Oye, **¿podrías instalarme** este programa nuevo? Es que tú entiendes más que yo de estas cosas.
- **Perdona, pero** estoy ocupadísimo. **Lo siento.**

Pedir permiso

¿Podría ¿Me dejas	+ infinitivo?
¿Te molesta importaría	si + presente de indicativo?

- **¿Te molesta si uso** tu impresora un momento?
- **Me encantaría, pero es que** no funciona bien.

- **¿Me dejas usar** tu escáner un momento, Luis?
- **Bueno, vale, pero** ten mucho cuidado.

Lee de nuevo los diálogos. Observa cómo se introducen las respuestas y completa los cuadros con las palabras que están en negrita.

PETICIÓN ACEPTADA	
sin objeciones	con objeciones
Claro que sí.	Bueno, pero...

PETICIÓN RECHAZADA
Lo siento, pero es que...

7 **Completa los bocadillos con las expresiones correspondientes.**

1 ¿............ dejarme la Gramática un momento?

.... sí.

2 Sr. Ruiz, ¿le .... mirar mi monitor para ver qué le pasa? No va bien.

...., pero es que ahora no puedo.

3 ¿Te .... decirme la contraseña de tu conexión a internet?

Claro que .... ZJ134PQ.

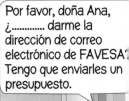

4 Por favor, doña Ana, ¿............ darme la dirección de correo electrónico de FAVESA? Tengo que enviarles un presupuesto.

............, Juan, per[o] estoy ocupada.

5 ¿............ .... pongo la televisión? Es que quiero ver las noticias.

............, ..., pero no muy alta, por favor.

6 ¿............ hacerme un favor, Alberto? ¿............ hacerme una copia del nuevo programa de contabilidad? El mío es muy antiguo.

.... sí.

7 ¿............ .... usar tu teléfono un momento? Es que el mío no funciona.

............, pero rápido, por favor. Estoy esperando una llamada.

8 ¿............ .... uso este ordenador? Necesito leer un archivo

.... No es nuestro. Es de la empresa.

8 **Dividíos en dos grupos. La mitad de la clase tiene el papel de A, y la otra mitad, el papel de B.**

a

Alumno A

1. Necesitas lo siguiente:
- Ayuda para descargarte un programa gratuito.
- Usar el ordenador de B para escribir una redacción.
- El diccionario de B para hacer un ejercicio.
- Una copia de un CD.

2. Lee las necesidades del alumno B y decide qué dos peticiones vas a aceptar. Prepara excusas para las otras.

Alumno B

1. Necesitas lo siguiente:
- Ayuda para buscar páginas web sobre vuelos baratos a Latinoamérica.
- Averiguar la dirección de correo electrónico de una compañera.
- Usar la impresora de A para imprimir un trabajo.
- El móvil de A para hacer una llamada urgente.

2. Lee las necesidades del alumno A y decide qué dos peticiones vas a aceptar. Prepara excusas para las otras.

b **Hablad con los alumnos del otro grupo. Intentad conseguir todo lo que necesitéis.**

El teléfono

9 **Averigua el significado de las palabras y expresiones que no conozcas.**

a

- colgar | el teléfono
  descolgar
  coger

- hacer | una llamada
  pasar
  devolver
  atender
  recibir
  desviar

- contestar | al teléfono
  ponerse

- marcar | un número
  el prefijo

- línea (ocupada) • estar comunicando • extensión
- conversación telefónica • contestador automático
- buzón de voz • tarjeta de teléfono • guía telefónica
- páginas amarillas • quedarse sin | batería
  saldo

b **En parejas. Por turnos, un alumno dice una palabra y el compañero forma una expresión con ella. ¿Quién comete menos errores?**

- Prefijo.
- Marcar el prefijo.

10 **¿Verdadero o falso? Márcalo.**

a

	V	F
1. Si llamas a alguien al móvil y no lo coge, puedes dejarle un mensaje en el buzón de voz.	☐	☐
2. Si coges el teléfono y preguntan por una persona que está contigo, le pasas la llamada.	☐	☐
3. Si te llaman y estás hablando por teléfono, la línea está ocupada.	☐	☐
4. Cuando terminas una conversación telefónica con el fijo, descuelgas el teléfono.	☐	☐
5. Si necesitas un número que desconoces, puedes buscarlo en las páginas amarillas.	☐	☐
6. El prefijo de la provincia a la que llamas se marca después del número de teléfono.	☐	☐
7. Cuando te llaman y estás, por ejemplo, en la ducha, no puedes ponerte al teléfono.	☐	☐
8. Cuando te quedas sin saldo, todavía puedes hacer alguna llamada.	☐	☐
9. Cuando te quedas sin batería, no puedes recargarla; tienes que comprar otra.	☐	☐

b **Sustituye las frases falsas por otras verdaderas.**

Mensajes telefónicos

Escucha estas conversaciones telefónicas y escribe el número correspondiente en cada mensaje.

A-

TE HA LLAMADO LAURA:
HA PREGUNTADO SI TE VAS
A QUEDAR AQUÍ EL FIN
DE SEMANA. QUIERE
QUE SE LO DIGAS EN
CUANTO LO SEPAS.

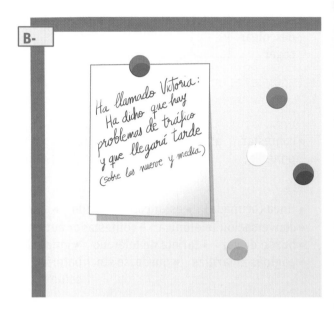

B-

Ha llamado Victoria:
Ha dicho que hay
problemas de tráfico
y que llegará tarde
(sobre las nueve y media)

C-

TE HA LLAMADO TU PADRE:
HA DICHO QUE VAYAS A
LA AGENCIA DE VIAJES
A PAGAR EL BILLETE Y
QUE NO TE OLVIDES DE
LLAMAR A TU ABUELA.

D-

RECADO TELEFÓNICO
LLAMÓ: JESÚS
HORA: 12:30
RECADO: HA DICHO QUE LE LLAME
USTED CUANDO PUEDA
(ESTARÁ EN LA OFICINA
HASTA LAS TRES).

b **¿En cuáles de esos mensajes se transmiten peticiones? Anota las frases en las que se transmite alguna.**

> **Transmitir peticiones**
>
> Ha dicho que le llame usted cuando pueda.

c **Escucha de nuevo y anota las frases que utilizan para pedir que se transmitan esas peticiones.**

2|9

¿Sería tan amable de decirle que llame a Jesús cuando pueda?

d **¿Qué tienen en común todas las frases que has escrito en b) y c)?**

12 Escucha tres conversaciones telefónicas breves y completa el cuadro.

a

	1.	2.	3.
¿Quién llama?			
¿Con quién quiere hablar?			
¿Cuál es el mensaje?			

b Imagina que eres la persona que coge los mensajes. Escribe una nota para cada uno.

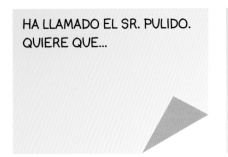

HA LLAMADO EL SR. PULIDO.
QUIERE QUE...

HA LLAMADO...

13 En grupos de tres (A, B y C).

a

Alumno A
Llama a casa de un compañero (B) y pídele un gran favor, aunque sea algo que no le guste.

Alumno B
Has estado casi todo el día fuera de casa. Pregunta a tu compañero de piso (C) si hay algún mensaje para ti.

Alumno C
Tu compañero de piso (B) va a estar fuera casi todo el día. Si le llaman, toma nota de los recados para dejarle un mensaje.

b Cambiad de papeles para que cada alumno pueda llamar a un compañero y dejarle un mensaje.

c Entregad los mensajes a sus destinatarios. Luego, decidid entre todos cuál de ellos os gusta menos.

Estrategias de aprendizaje

14 a Lee el cuestionario y marca las respuestas que te parezcan más adecuadas a tu caso.

¿Qué tipo de estudiante de español eres?

1. ¿Qué haces cuando el profesor os pide que trabajéis en grupos?

A. Comparto el trabajo y hago más o menos lo mismo que mis compañeros.

B. Hago bastante más que mis compañeros.

C. Hago menos que mis compañeros.

D. No participo nada o casi nada.

2. Cuando trabajo en parejas o grupos...

A. Siempre hablo español con mis compañeros.

B. Intento hablar español.

C. Solo utilizo el español cuando el profesor me ve o me escucha.

D. No hablo nunca español.

3. Si estás leyendo un texto y aparece una palabra que no conoces, ¿qué haces?

A. Intento adivinar su significado por el contexto.

B. La busco directamente en el diccionario.

C. No le doy importancia y sigo leyendo.

D. Empiezo a pensar que ese texto quizá es demasiado difícil para mí.

4. Cuando hablo español...

A. Procuro imitar la forma de hablar de los nativos.

B. A veces me siento extraño/-a, como si fuera otra persona. Tengo la sensación de que estoy actuando.

C. Me esfuerzo algo en la pronunciación, pero creo que no lo suficiente para que me entiendan.

D. Me pongo nervioso/-a y lo paso mal porque sé que no hablo bien.

5. ¿Cuál es tu actitud ante los errores que cometes?

A. Aprendo de mis errores e intento no repetirlos.

B. No me importa cometer errores: me parece algo lógico cuando se aprende un idioma.

C. Me molesta mucho cometer errores, pero no puedo evitarlo.

D. Si creo que voy a cometer errores, prefiero no hablar.

6. ¿Qué haces cuando hablas con un nativo y oyes una palabra que no conoces?

A. No interrumpo la conversación, pero memorizo esa palabra para buscarla después en un diccionario.

B. Le pido que me explique lo que significa.

C. Pienso unos segundos en lo que puede significar.

D. Finjo que lo entiendo todo.

7. Cuando quiero decir algo y no encuentro la palabra que necesito...

A. Uso otras palabras, hago gestos, doy explicaciones, etc., hasta que logro hacerme entender.

B. Le pregunto a la persona con la que hablo cómo puedo decir lo que quiero expresar.

C. Me doy cuenta de mis dificultades y hablo de otra cosa.

D. No digo nada.

8. Cuando hablo español...

A. Trato de utilizar palabras que he aprendido recientemente, para no olvidarlas.

B. Uso palabras fáciles, incluso muy fáciles. Eso me hace sentirme cómodo/-a y me da seguridad.

C. No selecciono mucho las palabras que utilizo. Si no me entienden, intento usar otras.

D. Necesito entender absolutamente todas las palabras que usan las personas con las que hablo. Si no entiendo alguna, me pierdo o me bloqueo.

9. ¿Con cuál de estas frases te identificas más?

A. Siempre hago los deberes y estudio por mi cuenta.

B. Suelo hacer los deberes y a veces estudio por mi cuenta.

C. Solo estudio por mi cuenta si tengo algún examen.

D. No estudio nunca por mi cuenta ni hago los deberes.

10. Fuera de clase, en mi tiempo libre, navego por internet, veo películas, escucho música, etc., en español...

A. Siempre que tengo la oportunidad.

B. Con cierta frecuencia, pero no siempre que tengo la oportunidad.

C. Muy pocas veces.

D. Nunca.

11. En mis estudios de español...

A. Utilizo un diccionario monolingüe (español-español) y otro bilingüe (español-mi lengua).

B. Utilizo un diccionario monolingüe.

C. Utilizo un diccionario bilingüe.

D. No utilizo ningún diccionario.

12. ¿A quién consideras responsable de tu aprendizaje?

A. A mi profesor y a mí mismo/-a.

B. Sobre todo a mí.

C. Sobre todo a mi profesor.

D. Yo no soy nada responsable, porque no soy un profesional de la enseñanza.

b **Averigua tu resultado y lee la interpretación.**

PUNTUACIÓN DE LAS RESPUESTAS
A: 3 puntos; B: 2 puntos; C: 1 punto; D: 0 puntos

INTERPRETACIÓN:

0-12 puntos

Tal vez piensas que el español se te da mal y te cuesta utilizarlo. Quizá exageras y te parece más difícil de lo que es en realidad.

Si te esfuerzas y participas más en clase, encontrarás más satisfacciones en ella y te gustará más. Además, sentirás que progresas a la vez que aumentarán tu nivel de seguridad y confianza en ti mismo/-a y tu interés por la lengua.

Procura utilizar más el español, tanto en clase como fuera de ella; colabora con tus compañeros y no dudes en pedir ayuda a ellos o a tu profesor siempre que la necesites.

13-24 puntos

No te da miedo aprender y practicar una lengua extranjera. Habitualmente estás motivado/-a, pero no te desanimes si a veces sientes que no haces tantos progresos como desearías. Tu actitud es positiva, aunque puede mejorar: lograrás mejores resultados si tienes un poco más de confianza en ti mismo/-a, si eres constante y si estudias y practicas más.

25-36 puntos

Te gusta el español y disfrutas practicándolo. Confías en tus capacidades y te sientes seguro/-a de ti mismo/-a. Aprovechas las oportunidades de aprender y usas estrategias que te ayudan a conseguir tus objetivos. Trata de enseñárselas a tus compañeros y de ayudarles cuando tengan dificultades.

c **Habla con la clase.**

● ¿Estás de acuerdo con la interpretación que te corresponde? ¿Añadirías algo? ¿Qué crees que deberías hacer para aprender más español?

Recuerda

COMUNICACIÓN

Pedir un favor

● ¿Podrías enviarme las fotos por internet, por favor?

GRAMÁTICA

¿Puedes / podrías / te importa / te importaría + infinitivo?

(Ver resumen gramatical, apartado 20.1)

COMUNICACIÓN

Pedir objetos

● ¿Te importaría dejarme la bici esta tarde? Es que la mía la tiene Andrea.

GRAMÁTICA

¿Puedes / podrías / te importa / te importaría + darme/ dejarme/prestarme/pasarme/traerme...?

(Ver resumen gramatical, apartado 20.2)

COMUNICACIÓN

Pedir ayuda

● Rosa, ¿podrías ayudarme a descargarme un antivirus? Tú entiendes de esto más que yo.

GRAMÁTICA

¿Puedes / podrías / te importa / te importaría (+ ayudarme a) + infinitivo?

(Ver resumen gramatical, apartado 20.3)

COMUNICACIÓN

Pedir permiso

● ¿Me dejas usar tu teléfono un momento? Es que el mío no funciona.

GRAMÁTICA

¿Podría / me dejas + infinitivo?
¿Te molesta/importa si + presente de indicativo?

(Ver resumen gramatical, apartado 20.4)

COMUNICACIÓN

Responder a una petición

Claro (que sí/no); bueno, (vale,) pero...; lo siento / perdona / me encantaría, (pero) es que...

(Ver resumen gramatical, apartado 20.5)

COMUNICACIÓN

Transmitir informaciones, preguntas y peticiones

● Ha llamado Ana y ha dicho que vuelve mañana. Ha preguntado si estás bien y ha dicho que la llames.

GRAMÁTICA

(Ha dicho) Que + indicativo
Ha preguntado si/dónde/cuándo... + indicativo
Quiere / ha dicho + que + presente de subjuntivo

(Ver resumen gramatical, apartado 21)

Citas sobre América Latina

1
a

Lee estas citas y averigua el significado de lo que no entiendas.

1 Simón Bolívar, militar y político venezolano: "No somos ni indios ni europeos".

2 Arturo Uslar Pietri, escritor venezolano: "América Latina fue básicamente tierra de encuentros".

3 Julio Cortázar, escritor argentino: "En cualquier país de América Latina yo estoy tan en mi casa como en la Argentina: si vivo en La Habana o en Panamá es exactamente como si viviera en Buenos Aires".

4 Elena Poniatowska, escritora mexicana: "La realidad siempre supera a la ficción en América Latina. Allí siempre sucede lo que no te esperas".

5 Rigoberta Menchú, guatemalteca, premio nobel de la paz: "Antes de que fuera refugiada, pensaba que mi cultura milenaria era un legado de mis ancestros mayas, pero hoy estoy convencida de que es un patrimonio universal".

6 León Gieco, músico argentino: "Latinoamérica es la última reserva de alimentos que tiene el planeta, pero también es la última reserva espiritual y musical".

7 Isabel Allende, escritora chilena: "Para entender a nuestro continente hay que leer a nuestros escritores, escuchar a nuestros músicos, admirar a nuestros pintores. Ellos son las voces que hablan por los que están sometidos al silencio, ellos son los chamanes".

b **¿Qué cita o citas relacionas con...**

A. ... la herencia cultural de América Latina?
B. ... las semejanzas entre los diferentes países latinoamericanos?
C. ... la mezcla de razas diferentes en América Latina?
D. ... la emigración a América Latina?
E. ... lo que ofrece América Latina al mundo?
F. ... la vida cotidiana en América Latina?

A. ...5... B. ...... C. ...... D. ...... E. ...... F. ......

c **Elige dos citas con las que estés muy de acuerdo y prepara una explicación o argumentos que las justifiquen (puedes escribirlos).**

d **Díselos a tus compañeros. ¿Están de acuerdo contigo? ¿Y tú con sus argumentos? ¿Puedes añadir tú algo a lo que dicen ellos?**

1 Lee estas citas y frases famosas y asegúrate de que las entiendes.

a

1 Antonio Machado (1875-1939), escritor español: "En mi soledad he visto cosas muy claras que no son verdad".

2 Jorge Luis Borges (1899-1986), escritor argentino: "No sé si la instrucción puede salvarnos, pero no sé de nada mejor".

3 María Zambrano (1904-1991), escritora española: "Yo nunca me he quedado sin patria. Mi patria es el idioma".

4 Salvador Dalí (1904-1989), pintor español: "Si muero, no moriré del todo".

5 Louis Lumière (1864-1948), inventor francés del cinematógrafo: "Mi invento podrá ser disfrutado como curiosidad científica... Pero comercialmente no tiene el más mínimo interés".

6 Groucho Marx (1895-1977), humorista estadounidense: "Encuentro la televisión muy educativa. Cada vez que alguien la enciende, me retiro a otra habitación y leo un libro".

b Responde a las preguntas. ¿Quién dijo que...

... encontraba la televisión muy educativa porque, cada vez que alguien la encendía, él se retiraba a otra habitación y leía un libro?

... en su soledad había visto cosas muy claras que no eran verdad?

... si moría, no moriría del todo?

c Compara las frases del apartado b) con las del apartado a) y fíjate en los cambios de tiempos verbales producidos. Luego, escribe lo que dijeron Borges, María Zambrano y Louis Lumière.

Borges dijo que..., pero que...

d ¿Tiene buena memoria tu compañero? Comprueba si recuerda qué dijeron algunos de los personajes de a).

Genios rechazados

2
a
Lee lo que les dijeron a estos personajes en algún momento de sus inicios profesionales y asegúrate de que conoces a los personajes y entiendes todo.

A
El director de un programa musical de radio le dijo a Elvis Presley en 1954: "No vas a .... a ninguna parte. Te recomiendo volver a conducir un ....".

B
Al descubridor de la teoría de la relatividad y premio nobel de física Albert Einstein, un profesor le dijo cuando era niño: "Nunca .... a nada".

C
Después de leer parte del manuscrito de *Residencia en la tierra*, principal obra del premio nobel de literatura Pablo Neruda, un editor le dijo a este: "He leído los primeros .... y no entiendo nada, no sé qué te propones con ellos".

D
La directora de una prestigiosa agencia de modelos le dijo en 1944 a la futura actriz Marilyn Monroe: "No tienes .... ni como modelo ni como .... Te recomiendo aprender secretariado o... casarte".

E
En 1962, un directivo de la compañía discográfica Decca Recording les dijo a *The Beatles*: "Su .... no suena bien. Los .... de guitarra no tienen futuro".

F
En 1959, un ejecutivo de la compañía cinematográfica Universal Pictures le dijo al futuro actor y director Clint Eastwood: "Usted no .... en el cine, tiene una patata en los dientes, su nuez sobresale demasiado y habla demasiado .... ".

G
Cuando acabó de leer el manuscrito de *La hojarasca*, la primera novela del premio nobel de literatura Gabriel García Márquez, un editor le dijo a este: "Te aconsejo cambiar de .... y dedicarte a uno no relacionado con la ....".

b Completa los textos con estas palabras.

- triunfará
- futuro
- poemas
- llegar
- música
- literatura
- camión
- lentamente
- actriz
- oficio
- llegarás
- grupos

c Escribe lo que les dijeron a esas personas.

El director de un programa musical de radio le dijo a Elvis Presley que no iba a llegar a ninguna parte y que le recomendaba volver a conducir un camión.

d En parejas. Preguntadle al compañero, por turnos, qué les dijeron a esos personajes.

- ¿Qué le dijo ... a ...?
- Le dijo que...

e ¿Sabes tú de otros casos parecidos? Díselo a la clase.

Repaso 2

1 **a** ¿Qué crees que significa "Que te vaya bonito"? Comprueba con el profesor. Luego, lee el fragmento incompleto de esta canción mexicana y averigua qué significa lo que no entiendas.

> ## QUE TE VAYA BONITO
>
> Ojalá que te vaya bonito.
> Ojalá que se .... tus penas,
> que te .... que yo ya no existo,
> que .... personas más buenas
> que te den lo que no pude darte,
> aunque yo te haya dado de todo.
> Nunca más volveré a recordarte.
> Te adoré, te perdí a mi modo.
>
> Cuántas cosas quedaron prendidas
> hasta dentro del fondo de mi alma.
> Cuántas luces dejaste ....
> Yo no sé cómo voy a ....
>
> Ojalá que mi amor no te ....
> y te .... de mí para siempre,
> que se llenen de sangre tus venas
> y la vida te vista de suerte.
>
> JOSÉ ALFREDO JIMÉNEZ:
> "Que te vaya bonito", *Same*.

b Complétalo con estas palabras.

- conozcas
- apagarlas
- acaben
- encendidas
- digan
- olvides
- duela

c Escucha y comprueba.

 2|11

d Comenta con tus compañeros las respuestas a estas preguntas.

- ¿Te han deseado alguna vez eso o algo parecido al finalizar una relación afectiva? Y tú, ¿lo has deseado?
- ¿Crees que en ese tipo de situaciones se desea habitualmente eso?

e Escucha de nuevo y elige los versos que te gusten más. Si lo deseas, puedes aprendértelos para que los cantes en tu tiempo libre y disfrutes practicando español.

2|11

2 **a** Responde a estas preguntas.

1. ¿Qué tipo de personas te gustan?
2. ¿Qué tipo de personas no te gustan?
3. ¿Con quién de tu familia te llevas mejor?
4. ¿Qué personaje público te cae bastante mal?
5. ¿A quién te pareces físicamente?
6. ¿A quién te pareces en el carácter?
7. Una cosa que te pone nervioso/-a hacer.
8. Una cosa que te da vergüenza hacer.
9. ¿Cuándo te pones triste?

b Averigua las respuestas de un compañero. Si hay alguna que te sorprenda, coméntasela a la clase.

3 **a** Escucha las respuestas de Raquel a las preguntas de la actividad 2 y toma nota.

2|12

b Trabaja con el compañero de 2b. Comparad vuestras respuestas con las de Raquel. ¿Quién de los dos coincide más con ella?

Poesía de Antonio Machado

4
a
Lee estos proverbios y cantares incompletos de Antonio Machado (1875-1939), poeta español cada vez más leído y traducido en todo el mundo. Luego, pregúntale al profesor qué significa lo que no entiendas.

1. Caminante, son tus huellas
el camino, y nada más;
caminante, no hay camino,
....

2. Poned atención:
un corazón solitario
....

3. ¿Tu verdad? No, la Verdad,
y ven conmigo a buscarla.
....

4. Para dialogar,
preguntad primero;
....

5. Despacito y buena letra:
el hacer las cosas bien
....

6. No extrañéis, dulces amigos,
que esté mi frente arrugada:
yo vivo en paz con los hombres
....

7. A las palabras de amor
les sienta bien su poquito
....

8. Se miente más de la cuenta
por falta de fantasía:
....

9. Todo pasa y todo queda,
pero lo nuestro es pasar,
pasar haciendo caminos,
....

ANTONIO MACHADO: "Proverbios y cantares",
Campos de Castilla.

b Lee estos versos y pregúntale al profesor qué significan las palabras que no entiendas.

A. La tuya, guárdatela.
B. después... escuchad.
C. se hace camino al andar.
D. importa más que el hacerlas.
E. de exageración.
F. no es un corazón.
G. y en guerra con mis entrañas.
H. caminos sobre la mar.
I. también la verdad se inventa.

c Cada uno de ellos es el último verso de cada uno de los poemas del apartado a). Complétalos.

1. ...... 2. ...... 3. ...... 4. ...... 5. ...... 6. ...... 7. ...... 8. ...... 9. ......

d Lee de nuevo los poemas y elige uno que te guste mucho. Dile al profesor cuál es para que te ayude a pronunciarlo y entonarlo adecuadamente. Si lo deseas, puedes aprendértelo.

e Recítaselo a tu compañero.

5 **Lee este artículo y ponle un título.**

a

Un estudio sobre los hábitos alimenticios de los escolares españoles revela que los menores de doce años toman poca leche, fruta, verdura, y que abusan de las grasas, de los dulces industriales y de los productos envasados o enlatados. La dieta que siguen no es la más apropiada. Desayunan poco, por la prisa de llegar al cole. Muchos de los platos sanos que este ofrece son rechazados por los niños. Al llegar a casa hambrientos, unen la merienda y la cena con cosas que van comiendo durante toda la tarde y luego no les apetece tomar otros alimentos que son básicos y más sanos. Todo esto, más un exceso de carne y de comida rápida, y la inactividad física delante de la televisión y el ordenador provoca niños gordos parecidos a los que vemos en las series televisivas. Por eso, un 14 % de los encuestados reconoce que sigue dietas para adelgazar.

El Ciervo

ADEMÁS:
- EJERCICIO FÍSICO DIARIO
- VINO CON MODERACIÓN
- 6 VASOS DE AGUA DIARIOS

ALGUNAS VECES AL MES — CARNE ROJA

DULCES

ALGUNAS VECES A LA SEMANA — HUEVOS, POLLO, PESCADO

DIARIAMENTE — QUESO Y YOGUR, ACEITE, FRUTAS, LEGUMBRES Y FRUTOS SECOS, VEGETALES, PAN, PASTA, ARROZ, CUSCÚS, POLENTA Y PATATAS

PIRÁMIDE DE LA DIETA MEDITERRÁNEA

b **Busca en el texto derivados de estas palabras.**

alimento	escuela	industria	lata
hambre	actividad	encuesta	delgado

alimento ⟶ alimenticios

c **Completa este texto sobre el artículo.**

Los escolares españoles menores de doce años comen .... dulces. Por la mañana no tienen el tiempo suficiente para .... todo lo que necesitan. En el comedor del colegio .... muchos de los platos que les sirven. Cuando vuelven a .... tienen mucha hambre y a lo largo de la .... toman muchas cosas que les quitan el apetito. El porcentaje de niños .... es bastante alto y muchos de ellos siguen un régimen de alimentación con el fin de ....

d **Comenta con la clase.**

- ¿Crees que se puede decir lo mismo de la alimentación de los escolares de tu país?
- ¿Qué diferencias encuentras?
- ¿Tú también te alimentabas así cuando eras pequeño/-a?

6 En grupos de cuatro. El profesor va a colocar sobre la mesa un taco de tarjetas (en cada una de ellas se describe un problema). Cada alumno toma, por turnos, una tarjeta y explica "su problema" a sus compañeros. El que le dé el mejor o los mejores consejos se queda con la tarjeta. Gana el que consiga más tarjetas.

7 Lee este texto y responde a la pregunta.

a
- ¿Por qué no le resuelve el padre la duda a Juanito?

> Juanito está haciendo los deberes en casa. Tiene una duda y le pide ayuda a su padre.
>
> —¿Me puedes explicar una cosa, papá?
>
> El padre lee el cuaderno. Lo vuelve a leer. Mira al techo. Vuelve al cuaderno.
>
> —Es que estoy esperando una llamada importante y...
>
> —Es solo un minuto, papá.
>
> —Bueno, a ver.
>
> El padre vuelve a leer el cuaderno. Lo mira. Lo mira de nuevo y por fin dice:
>
> —Yo no entiendo qué os enseñan ahora. Han cambiado todo. Antes lo estudiábamos de otra manera y...
>
> —¿Lo sabes o no?
>
> —Sí, sí lo sé; pero si te lo explico como yo lo estudié, no vas a entender nada...
>
> GOMAESPUMA: *Familia no hay más que una* (adaptado).

b Imagínate que ese diálogo tuvo lugar el otro día. Escribe frases transmitiendo lo que dijeron el padre y el hijo. Recuerda que puedes usar los verbos del recuadro.

- preguntar
- contestar/responder
- decir/comentar
- añadir

Juanito le preguntó a su padre si...

8 Lee el texto de todas las casillas y asegúrate de que entiendes todo.

a

A ↓		Cuéntale a tu compañero un problema "tuyo" y pídele consejo.	¿Hasta cuándo seguirás estudiando español?	Pídele permiso a un compañero para hacer algo.
Una persona de tu centro de estudios que te cae muy bien.		Transmítele a tu compañero un mensaje gracioso que "te han dado" para él.		Dos buenos deseos para unos recién casados.
¿Qué deseos puedes expresarle a una persona el día de su cumpleaños?		Una cosa que te dio mucha risa.		Un buen deseo en una despedida.
¿Haces algo para cuidar tu salud? ¿En qué consiste?		Dale a tu compañero tres consejos para vivir muchos años.		La última vez que te enfadaste. ¿Por qué fue?
¿Qué harás cuando termine esta clase?		Dos personas que se parecen mucho. ¿Qué relación tienen?		¿Qué deberías hacer para cuidar tu salud (que no haces)?
Una cosa que te preocupa bastante.		Algunas cosas que son perjudiciales para la salud.		Una cosa que te molesta mucho.
¿Qué esperas de un profesor de español?		Alguien te ha pedido tu ordenador. Acepta su petición con objeciones.		Un buen deseo para tu compañero.
Una persona con la que te llevabas muy bien de pequeño/-a.	Pídele ayuda a un compañero para hacer algo.	Describe el carácter de un familiar tuyo.		B ↑

b En parejas (alumno A y alumno B). Juega con una ficha de color diferente a la de tu compañero. Empieza en la casilla que te corresponda.

c Por turnos. Avanza una casilla y habla del tema o responde a la pregunta de la casilla a la que llegues. Si no dices nada, pierdes un turno. Gana el primero que llegue al otro extremo.

Un club de español

9 Una buena idea para practicar español fuera de clase es crear un club de español en el centro en el que estudias. Si estáis de acuerdo con la idea, podéis crear uno.

a Debatid y decidid entre todos los siguientes aspectos:

- ¿Podrán ser miembros de ese club alumnos de otras clases? ¿Y de otros niveles?
- ¿Dónde os reuniréis? Decídselo a vuestro profesor o a la persona apropiada del centro para que os dé el permiso.
- ¿Cuándo os reuniréis? ¿Con qué frecuencia?

b Lee estos anuncios de un club de español y relaciónalos con las correspondientes actividades de la lista.

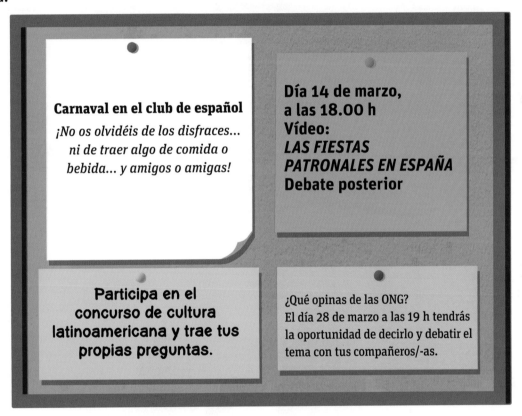

Carnaval en el club de español
*¡No os olvidéis de los disfraces...
ni de traer algo de comida o
bebida... y amigos o amigas!*

**Día 14 de marzo,
a las 18.00 h
Vídeo:
LAS FIESTAS
PATRONALES EN ESPAÑA
Debate posterior**

**Participa en el
concurso de cultura
latinoamericana y trae tus
propias preguntas.**

¿Qué opinas de las ONG?
El día 28 de marzo a las 19 h tendrás
la oportunidad de decirlo y debatir el
tema con tus compañeros/-as.

- Debates
- Charlas
- Concursos y juegos
- Películas o vídeos
- Videofórum
- Fiestas de diferentes países

c Añade otras actividades que te gustaría realizar.

d Ahora pregunta a tus compañeros para saber cuáles son las actividades que os gustaría realizar a la mayoría de vosotros.

e ¿Cuál puede ser la primera actividad del club? Decidid qué vais a organizar, cuándo y cómo. Decidid, también, si vais a convocar algún acto o fiesta de inauguración. En caso afirmativo, acordad si vais a invitar a alguien.

9 Ciudades

OBJETIVOS

- Describir una ciudad
- Expresar opiniones
- Expresar acuerdo
- Expresar desacuerdo
- Presentar un contraargumento
- Expresar necesidad
- Expresar finalidad
- Posicionarse a favor o en contra

1 **Estos adjetivos pueden servir para describir una ciudad. Averigua el significado de los que no conozcas.**

a

preciosa · horrible · ordenada · cuidada · desordenada · ruidosa · antigua · sucia · abierta · limpia · cerrada · monumental · alegre · tranquila · tradicional · aburrida

artística · especial · (bien/mal) organizada · histórica · desorganizada · (bien/mal) conservada · humana · contaminada · peligrosa · cosmopolita · viva · decadente

b **Pronuncia las palabras del apartado anterior que sean nuevas para ti. Presta especial atención a la sílaba más fuerte.**

c **Comprueba con el profesor.**

2 ¿Conoces Madrid? ¿Qué idea tienes de ella? ¿Qué adjetivos de la actividad 1 usarías para describirla?

a

(Tengo la impresión de que es una ciudad) Ruidosa, cosmopolita, ...

b **Lee lo que dicen estas personas sobre Madrid. ¿Estás de acuerdo con alguna de ellas?**

Madrid es una ciudad sucia y algo peligrosa, como muchas ciudades grandes. Pero me encanta su lado humano: en algunos barrios la gente se relaciona y vive como en los pueblos.

MANUEL MONTEAGUDO, abogado

Adoro Madrid con sus millones de inconvenientes y de maravillosas ventajas.

JOSÉ LUIS COLL, humorista

Me gusta lo que se respira en Madrid, lo que tiene de cosmopolita, de cálido. A pesar de su parte agresiva, esta ciudad está pensada para salir y comer.

LLUÍS HOMAR, actor y director de teatro

En Madrid conviven en armonía lo bueno y lo menos bueno, lo novedoso y lo tradicional.

RAMÓN SEGURA, ganador del Campeonato de España de Cocineros

He tenido que aprender a vivir en su caos. Pero pienso que es una ciudad acogedora. Aquí nadie se siente extranjero.

ANTOLÍN RODRÍGUEZ, exdirector del Insalud

Madrid tiene un caos que a mí me parece fascinante. Es una ciudad insoportablemente viva a veces. Madrid no le pregunta nunca a nadie de dónde es.

ADOLFO MARSILLACH, actor y director de teatro

Los principales problemas de Madrid son el tráfico y la superpoblación. Por otra parte, es una ciudad alegre, que siempre está despierta, que no duerme, en la que los amigos se siguen viendo para tomarse unos vinos en el bar de la esquina.

EMILIO ARAGÓN, actor

El País

3 Escucha a una colombiana hablando sobre Madrid con un amigo español. ¿Cuáles de los adjetivos que has utilizado para describir Madrid en 2a menciona?

a

🎧 2|13

b Vuelve a escuchar y anota otros adjetivos que mencione sobre Madrid.

🎧 2|14

4 Elige una ciudad que conozcas bien para escribir tus opiniones sobre ella (no puede ser la ciudad en la que estás viviendo ahora). Sigue estos pasos.

a

Anota todas las ideas que se te ocurran. → Ordénalas y piensa cómo las vas a relacionar. → Redacta el texto sin mencionar el nombre de la ciudad.

Pásalo a limpio si es necesario. ← Revísalo. ¿Has expresado lo que querías? ¿Están claras las ideas? Haz las correcciones que consideres convenientes.

MOSCÚ
TOKIO
RÍO DE JANEIRO
EL CAIRO

SEÚL
LONDRES
BARCELONA

b Pásale el texto a un compañero para que adivine de qué ciudad se trata. Si lo necesita, puede hacerte preguntas de respuesta *sí* o *no*.

c Corrige los posibles errores del texto de tu compañero y coméntalos con él.

5 ¿Qué opinas sobre la población en la que estás viviendo ahora? Prepara lo que vas a decir.

a

b Coméntaselo a un compañero y averigua si piensa lo mismo que tú.

6 Pregúntale al profesor qué significan las palabras que no entiendas.

a

- contaminación • soledad • tráfico
- libertad • buenos servicios públicos
- ruido • masificación • estrés
- variada oferta cultural • anonimato
- inseguridad ciudadana
- más oferta educativa
- más ofertas de trabajo

b Anótalas en la columna apropiada. ¿Puedes añadir otras ventajas e inconvenientes de una ciudad?

Ventajas	Inconvenientes
	contaminación

Opiniones. Acuerdo y desacuerdo

7 Lee esta parte de un debate y asegúrate de que entiendes todo.

a

Ángela: Desde mi punto de vista, en las ciudades hay muchas más ofertas de trabajo que en los pueblos.

Miguel: Sí, tienes razón: es más fácil encontrar trabajo en una ciudad. Sin embargo, también es cierto que hay gente que gana muy poco y la vida en una ciudad es más cara que en un pueblo.

Lucía: Yo pienso lo mismo que tú. Además, en las ciudades también hay mucho desempleo.

Eduardo: Cambiando de tema, a mí me parece que hay más libertad en las ciudades que en los pueblos, porque te conoce menos gente y te sientes menos controlado.

Gloria: Yo estoy de acuerdo contigo: se vive más libremente en una ciudad. Y, además, yo pienso que la gente de la ciudad es más tolerante.

Lucía: Yo no lo veo así. Yo no creo que sea más tolerante; en mi opinión, es más abierta, pero no más tolerante.

b ¿Estás de acuerdo con alguna de esas personas? Díselo a tu compañero.

Yo estoy de acuerdo con Ángela: en las ciudades hay muchas más ofertas de trabajo que en los pueblos.

8 Lee estas frases con el verbo *pensar* y fíjate en las diferencias. Trata de formular la regla gramatical,
a que también se aplica a otros verbos utilizados para dar opiniones, como *creer*, *opinar* y *parecer*.

Yo pienso que la gente de la ciudad es más tolerante.

Yo no pienso que la gente de la ciudad sea más tolerante.

b Dile la regla al profesor para que te la confirme.

9 **Fíjate en estas formas de expresar acuerdo y desacuerdo.**

a

Para expresar acuerdo y desacuerdo

Yo (no) estoy de acuerdo	contigo.	
	con	usted. esa opinión. lo que dices. que Sevilla es una ciudad mal conservada.

b **Asegúrate de que entiendes estas otras formas de expresar acuerdo y desacuerdo.**

ACUERDO	DESACUERDO
• Sí/no, claro. • Tienes razón. • Yo pienso lo mismo que tú.	• ¡Qué va! • No, no tienes razón. • Yo no pienso lo mismo que tú. • A mí me parece que no/sí.
• Yo pienso | como | tú. | igual que |	• Yo | creo | que no/sí. | pienso |
• Sí, es | verdad | que es una ciudad | cierto | muy cuidada. | evidente |	• No, no es | verdad | que sea una ciudad | cierto | muy cuidada. | evidente |
• Sí, está claro que es una ciudad muy cuidada.	• No, no está claro que sea una ciudad muy cuidada.

c **Lee de nuevo las frases en las que se ha usado el subjuntivo y compáralas con las que son parecidas pero van en indicativo. ¿Por qué crees que se ha usado el subjuntivo?**

10 **Lee estas opiniones. ¿Entiendes todo?**

a

"Se vive mejor en los pueblos que en las ciudades."

"Una ciudad te ofrece lo mejor y lo peor."

"La delincuencia solo existe en las ciudades."

"La mayoría de la gente que vive en una ciudad vive en ella porque no tiene más remedio: trabaja allí."

"La vida es más aburrida en los pueblos que en las ciudades."

"En una ciudad nunca te sientes solo."

"Uno se comporta de una manera en un pueblo y de otra en una ciudad."

"En el futuro las ciudades serán más pequeñas y más humanas."

b **Comenta con un compañero si estás o no de acuerdo con esas frases. ¿Piensa él lo mismo que tú?**

● Yo no estoy de acuerdo con que se vive mejor en los pueblos que en las ciudades. A mí me parece que se vive mejor en las ciudades porque puedes hacer más cosas interesantes.

○ Sí, está claro que puedes hacer más cosas interesantes en una ciudad.

11

a Escucha a dos amigos hablar sobre la vida en las ciudades y anota los aspectos de 10a que mencionan.

2|15

b Vuelve a escuchar y escribe en qué cosas están de acuerdo y en cuáles están en desacuerdo.

2|16

c Escucha y anota qué ventajas e inconvenientes ve cada uno en una ciudad y en un pueblo.

2|17

	Ventajas ciudad	Ventajas pueblo	Inconvenientes ciudad	Inconvenientes pueblo
Julio	encontrar trabajo			
Sonia				

12

a Aquí tienes algunas propuestas, sugerencias y medidas necesarias para mejorar la vida en las ciudades y en los pueblos. Relaciona cada una con la finalidad más apropiada.

1. Yo pondría más transporte público...

2. Es necesario que creen más zonas verdes...

3. Es necesario que prohíban la circulación de vehículos por el casco antiguo...

4. Yo organizaría unos programas culturales buenísimos, con actos interesantísimos...

5. Deberían crear más puestos de trabajo en los pueblos...

6. Tienen que hacer un carril bici en todas las calles importantes...

A. ... para que los niños tengan más espacio para jugar y los adultos para pasear.

B. ... para que la gente use menos el coche y haya menos contaminación.

C. ... para que la gente salga más y se relacione más.

D. ... para que haya más calles para caminar y menos ruido.

E. ... para que podamos movernos en bicicleta.

F. ... para que mucha gente se vaya a vivir allí y las ciudades sean más habitables.

b Escribe otras propuestas, sugerencias y medidas, y la finalidad perseguida con ellas.

Yo daría ayudas económicas a los jóvenes para que vivan en los pueblos.

E

13 Observa cómo podemos expresar que estamos a favor o en contra de algo.

a

> **Posicionarse a favor o en contra**
>
> | Estoy | a favor / en contra | de | la creación de más zonas verdes.
crear más zonas verdes.
que creen más zonas verdes. |
> |---|---|---|---|

b Averigua si tu compañero está a favor de todas las propuestas, sugerencias y medidas de la actividad 12, sobre todo de las que has pensado tú.

- ● (Supongo que) Estás a favor de que pongan más transporte público, ¿no?
- ○ Sí, para que la gente use menos el coche y haya menos problemas de tráfico y menos contaminación. ¿Y tú?
- ● Yo también, aunque reconozco que el coche es muy cómodo y muy rápido.

Estrategias de comunicación: participar en un debate

14 Lee estas frases que se pueden decir en un debate.

a

1. No es eso lo que yo quería decir.

2. Exactamente, ¿qué quieres decir (con eso)?

3. Perdona que te interrumpa, pero...

4. ¿Puedo decir una cosa?

5. Yo no he dicho eso; he dicho que...

6. (Perdona, pero) Es que todavía no he terminado.

7. Entonces, ¿quieres decir que...?

8. Perdón por la interrupción, pero...

9. No, no; lo que quiero decir es que...

10. (Perdona.) Déjame terminar, por favor.

b ¿Para qué sirve cada una de ellas? Anótalas en la columna correspondiente.

Tomar la palabra	Pedir una aclaración	Hacer una aclaración	Interrumpir a quien está hablando	No dejar ser interrumpido
	Exactamente, ¿qué quieres decir (con eso)?	No es eso lo que yo quería decir.		

Un debate

15 **Piensa en la respuesta a esta pregunta.**

a
- ¿Crees que las ciudades ofrecen más ventajas que inconvenientes?

b **Busca a un compañero que haya respondido como tú y trabaja con él.**

> Si la respuesta ha sido positiva, haced una lista de ventajas que ofrecen las ciudades, argumentándolas.

> Si la respuesta ha sido negativa, haced una lista de inconvenientes que ofrecen las ciudades, argumentándolos.

c **Buscad otra pareja que haya respondido como vosotros y seleccionad los mejores argumentos.**

d **Vais a hacer un debate en grupo. Exponed vuestros argumentos a la clase, defendedlos y tratad de rebatir los que expongan los compañeros con los que no estéis de acuerdo. Recordad que también podéis utilizar frases de la actividad 14.**

e **¿Sigues pensando lo mismo que en el apartado a) o te han hecho cambiar de opinión tus compañeros?**

f **Anota los mejores argumentos que has escuchado en el debate. ¿Has aprendido alguna palabra nueva?**

Recuerda

COMUNICACIÓN

Expresar opiniones
- Yo creo que en una ciudad puedes hacer más cosas, pero no creo que tengas más amigos que en un pueblo.

GRAMÁTICA

Impersonalidad
- *se* + verbo en 3.ª persona del singular/plural
- *uno/una* + verbo en 3.ª persona del singular • *la gente*
- 2.ª persona del singular (*tú*) • 3.ª persona del plural (*ellos*)
  (Ver resumen gramatical, apartado 22)

Creo/pienso/opino/... que + indicativo
No creo/pienso/opino/... que + subjuntivo
En mi opinión / desde mi punto de vista + indicativo
  (Ver resumen gramatical, apartado 23)

COMUNICACIÓN

Expresar acuerdo
- En los pueblos, la gente es más abierta.
- Sí, es verdad; la gente habla más con los otros.

Expresar desacuerdo
- No, no es verdad que sea más abierta; es más cerrada.

Presentar un contraargumento
- Es cierto que hay más gente en una ciudad; sin embargo, puedes sentirte muy solo.

GRAMÁTICA

Es verdad/cierto/evidente que + indicativo
No es verdad/cierto/evidente que + subjuntivo
Está claro que + indicativo; *no está claro que* + subjuntivo
  (Ver resumen gramatical, apartado 24)

COMUNICACIÓN

Expresar necesidad
- Es necesario que prohíban el tráfico en el casco antiguo.

GRAMÁTICA

Es necesario que + subjuntivo
  (Ver resumen gramatical, apartado 25)

COMUNICACIÓN

Expresar finalidad
- Es necesario que hagan más carriles bici para que la gente pueda utilizar más la bicicleta.

GRAMÁTICA

Para que + subjuntivo
  (Ver resumen gramatical, apartado 29)

COMUNICACIÓN

Posicionarse a favor o en contra
- Estoy en contra de que prohíban aparcar en esta calle.

GRAMÁTICA

Estar a favor / en contra de + *que* + subjuntivo
  (Ver resumen gramatical, apartado 30)

La América Latina urbana

1 a ¿Crees que en Latinoamérica vive más gente en el campo que en las ciudades? Díselo a tus compañeros.

b Lee el texto y comprueba.

CIUDADES DE AMÉRICA LATINA

Hasta los años cuarenta, América Latina era esencialmente rural. En esa década, muchas personas que residían en el campo comenzaron a emigrar a las ciudades. Se cree que de 1950 a 1976, casi 40 millones de campesinos se instalaron en ellas. Actualmente, el 75 % de la población latinoamericana es urbana y existen cuatro megalópolis hispanoamericanas (ciudades con más de 8 millones de habitantes). Son México D. F., que tiene más de 20 millones; Buenos Aires, cerca de 16; Bogotá, más de 10, y Lima, más de 9.

Este crecimiento ha degradado poco a poco el espacio urbano. Muchas de las superficies habitadas han aumentado demasiado y los largos viajes urbanos se han convertido en un problema. La multiplicación de los medios de transporte individual y colectivo ha agravado los niveles de contaminación, tal como sucede en la mayoría de las grandes ciudades del mundo.

México D. F., México

Lima, Perú

Buenos Aires, Argentina

Sin embargo, las grandes ciudades ofrecen a sus nuevos habitantes cosas que no tiene el mundo rural: modernos hospitales, escuelas y universidades, vivienda, una estructura sanitaria, más lugares para disfrutar del tiempo libre y una variada oferta cultural. Por eso, aunque las posibilidades reales de trabajo han disminuido, la gente continúa emigrando a las ciudades.

Bogotá, Colombia

JACQUELINE COVO, *América Latina*.

2 Lee de nuevo y busca palabras derivadas de las siguientes:

- campo → campesino
- habitar
- vivir
- contaminar

- sanidad
- crecer
- grave
- multiplicar

3 Piensa en las respuestas a estas preguntas y luego coméntalas con la clase.

a
- Qué esperan encontrar en las ciudades los campesinos que emigran a ellas?
- ¿Lo encuentran?

b Escribe con tus propias palabras los aspectos negativos de las grandes ciudades mencionados en el texto.

> Han crecido demasiado.

4 Piensa en las respuestas a estas preguntas y luego coméntalas con la clase.

- ¿Crees que las ciudades latinoamericanas seguirán creciendo mucho?
- ¿En el futuro se vivirá mejor o peor en ellas?
- ¿Puedes citar alguna medida que deberían tomar los ayuntamientos y los gobiernos para evitar y solucionar problemas urbanos?

Una canción

 1

a Lee la letra de esta canción. Puedes usar el diccionario.

PONGAMOS QUE HABLO DE MADRID

Allá donde se cruzan los caminos,
donde el mar no se puede concebir,
donde regresa siempre el fugitivo.
Pongamos que hablo de Madrid.

Las niñas ya no quieren ser princesas
y a los niños les da por perseguir
el mar dentro de un vaso de ginebra.
Pongamos que hablo de Madrid.

Los pájaros visitan al psiquiatra,
las estrellas se olvidan de salir,
la muerte pasa en ambulancias blancas.
Pongamos que hablo de Madrid.

El sol es una estufa de butano;
la vida, un metro a punto de partir;
hay una jeringuilla en el lavabo.
Pongamos que hablo de Madrid.

Cuando la muerte venga a visitarme,
que me lleven al Sur donde nací,
aquí no queda sitio para nadie.
Pongamos que hablo de Madrid,
de Madrid (3).

JOAQUÍN SABINA y ANTONIO SÁNCHEZ:
"Pongamos que hablo de Madrid",
Malas compañías.

b ¿Qué palabras se usan en la canción para expresar estos conceptos? Búscalas.

- persona que huye
- allí
- supongamos
- aparato usado para calentar
- les entra gran interés por
- espacio
- salir
- bebida alcohólica transparente
- gas usado como combustible
- servicio

Persona que huye → fugitivo

c Esta canción tiene un tono muy poético y contiene muchas metáforas. ¿En qué verso o versos se expresa cada una de estas afirmaciones sobre Madrid?

1. Madrid es una ciudad muy contaminada.
2. Es una ciudad donde se conoce a mucha gente.
3. Los jóvenes consumen alcohol.
4. No es una ciudad marítima.
5. Las jóvenes han perdido la inocencia.
6. Hay madrileños que tienen problemas psicológicos.
7. Su clima es muy caluroso.
8. Es una ciudad que atrae a la gente.
9. El ritmo de vida es muy rápido.
10. En Madrid hay demasiada gente.

1. Madrid es una ciudad muy contaminada → las estrellas se olvidan de salir.

d Escucha y lee la letra. Luego, comenta con tus compañeros si has descubierto alguna información que no conocías sobre Madrid y si te ha sorprendido alguna idea.

2|18

¿Por qué te gusta Madrid?

2 La revista *On Madrid* preguntó a muchas personas por qué les gusta Madrid. Lee alguna de las
a respuestas, que están incompletas, y asegúrate de que las entiendes.

"Porque esta ciudad me transmite cercanía, libertad y .... de hacer algo nuevo e interesante cada día. Es un lujo poder vivir en ella".
ELENA PIÑERO,
comunicación

"Es como una gran casa llena de los de siempre y de .... siempre bienvenidos".
ALICIA LÓPEZ,
publicista

"Porque Madrid no te pregunta nada para ...., y eso, hoy día, es un bien escaso".
ALASKA,
cantante

"Amo Madrid por sus atardeceres reflejados en los edificios, es maravilloso ver cómo el sol ilumina con sus últimos .... cualquier rincón".
SUSANA CANCHO,
auxiliar de enfermería

"Porque es una ciudad con mucha .... todavía por escribir".
EDUARDO TORO,
parado

"Porque no pertenece a nadie y está tan viva que ha sobrevivido 16 años de administraciones que tratan de convertirla en otra aburrida y .... ciudad europea". **ÍÑIGO LÓPEZ-PALACIOS,**
periodista

"Porque siempre hay un .... para dentro de media hora".
GEMA RABANEDA,
periodista

"Porque vivir en la misma ciudad en la que está una joya como el Museo del Prado es una maravilla, tanto como su .... que es la que ha levantado Madrid". **JAIME ROSALES,**
director de cine

"Porque es paleta y cosmopolita en la misma .... ".
MARTA SANZ,
escritora

"Porque tiene un cielo que te hace olvidar lo mal que tratamos el .... ".
LORENA BENITO,
relaciones públicas

"En Madrid pierdes tu propia identidad, pasas .... al 100 %. Eres una hormiga más en un hormiguero inmenso".
FELE MARTÍNEZ,
actor

b Complétalas con estas palabras. Puedes usar el diccionario.

- desapercibido
- aceptarte
- plan
- historia
- ordenada
- gente
- ganas (sustantivo)
- invitados
- medioambiente
- rayos
- proporción

c ¿Cuáles de esas razones te gustan o te parecen más convincentes? ¿Y alguna de esas personas menciona algún aspecto negativo de Madrid? Coméntalo con tus compañeros.

3 Ahora escribe por qué te gusta tu ciudad. Luego, díselo a tus compañeros. ¿Coincides con alguno de ellos?

OBJETIVOS

- Hablar del pasado
- Relatar sucesos, anécdotas y bromas
- Especificar el número de veces que se realizó una acción
- Especificar la duración de una acción o actividad pasada
- Expresar acciones pasadas que se desarrollan simultáneamente
- Expresar una acción inminente que no se llegó a realizar
- Describir la situación o las circunstancias en las que se produjo un hecho
- Expresar una acción pasada anterior a otra acción o a una situación pasada

1 a Observa esta ilustración correspondiente a un suceso. ¿Qué crees que ocurrió? Díselo a tu compañero.

Creo que esa mujer fue a su dormitorio y, cuando entró, vio...

b Averigua el significado de las palabras que no conozcas.

robar   joyas   policía   llamar   tumbarse   merluza   roncar   vino

c Las palabras de 1b están incluidas en una noticia de periódico que narra un suceso muy curioso. Imagina qué pasó y luego cuéntaselo a tu compañero dando todos los detalles que creas necesarios. ¿Coinciden vuestros relatos?

d Ahora lee la noticia y comprueba qué habéis acertado tu compañero y tú.

SUCESOS

"Si no es por la merluza, nos quedamos sin joyas"

Ayer tuvo lugar un curioso incidente. Jesús M. F., de 25 años, entró en una vivienda por la terraza con intención de robar. Después de asaltar la casa, encontró en la cocina una deliciosa merluza a la marinera, lista para comer. No lo dudó y abrió una botella de vino para tomarlo con el pescado. Al acabar, estaba algo cansado y tenía sueño, así que decidió dormir una siesta y se tumbó en el lugar que consideró más seguro: debajo de la cama del dormitorio principal.

Poco tiempo después regresaron los propietarios, un matrimonio joven que había preparado parte del almuerzo antes de salir a hacer la compra para la semana siguiente. La mujer entró en el dormitorio y oyó unos ronquidos. Buscó su origen y vio a un desconocido que estaba tumbado debajo de su propia cama y roncaba mientras dormía profundamente. Entonces decidieron no hacer ruido para no despertarlo y llamaron a la policía.

La espera fue tensa y larga; duró 50 minutos, y en ese espacio de tiempo llamaron tres veces más a la policía.

Afortunadamente, el ladrón seguía dormido cuando llegaron los agentes.

Al ser detenido, Jesús dijo que se sentía muy sorprendido y que no sabía cómo había aparecido allí. Sin embargo, a su lado había un joyero con varias piezas, valoradas en más de 1500 euros.

La pareja mostró su satisfacción y se sintió orgullosa de sus conocimientos de cocina: "Si no es por la merluza, nos quedamos sin joyas", declaró el marido.

2 Lee estas frases de la noticia anterior y escribe en cuál de ellas...

a

A. ... se especifica el número de veces que se realizó una acción pasada. `5`
B. ... se especifica la duración de una acción pasada. ☐
C. ... se describe el estado de una persona en el pasado. ☐
D. ... se describe la circunstancia en la que se produjo un hecho pasado. ☐
E. ... se expresa una acción pasada anterior a otra acción pasada. ☐

1. La espera **duró** 50 minutos.
2. El ladrón **seguía** dormido cuando **llegaron** los agentes.
3. El matrimonio joven **había preparado** parte del almuerzo antes de salir a hacer la compra para la semana siguiente.
4. El ladrón **estaba** algo cansado y **tenía** sueño.
5. En ese espacio de tiempo **llamaron** tres veces más a la policía.

b Busca en el texto otra forma de expresar "cuando terminó". Di qué modo verbal se usa en esa estructura temporal. Luego, expresa estas informaciones utilizando esa estructura.

1. Cuando entró en el dormitorio oyó unos ruidos.
2. Cuando llegaron vieron al ladrón debajo de la cama.

3 Lee otra vez la noticia y fíjate en las otras formas verbales que se han utilizado para referirse al
a pasado. Si tienes alguna duda sobre su uso, consúltasela al profesor.

b Completa este texto sobre la noticia que has leído con formas verbales del pasado.

> Cuando Julia .estaba.. (estar) a punto de ponerse las zapatillas, se .... (dar) cuenta de
> que .... (haber) alguien debajo de la cama. Como .... (estar) profundamente
> dormido, Julia .... (llamar) rápidamente a la policía, que .... (tardar) casi una
> hora en llegar. Durante ese intervalo de tiempo .... (hacer) varias llamadas más a la
> policía. Al ser despertado por los agentes, el desconocido .... (ver) que no ....
> (estar) solo y se mostró muy sorprendido, pero no .... (confesar) el verdadero
> motivo de su visita: .... (entrar) unas dos horas antes a robar.

4 Escribe algunas frases sobre el pasado. Trata de elegir los usos que te parezcan más difíciles y
a asegúrate de que el contexto está muy claro en cada caso.

> Cuando era muy pequeño viví un año en México.

b Intercambia tus frases con un compañero para corregir los posibles errores.

c Comentad las correcciones que habéis hecho. ¿Estáis de acuerdo?

5 Dos grupos (A y B). Lee la noticia que te dé el profesor. Luego, trabaja con los compañeros de tu grupo
a para asegurarte de que entiendes todo.

b Escribid las respuestas a las preguntas que os va a dar el profesor.

c Dictadle las respuestas al profesor para que las escriba en la pizarra. Los miembros del otro grupo van
a leerlas para intentar reconstruir la noticia. Os pueden hacer preguntas a las que responderéis "sí" o
"no".

d El profesor va a entregarle al otro grupo vuestra noticia; explicadles lo que no entiendan.

6 Vas a escuchar una noticia curiosa. Antes, fíjate en las viñetas y escribe algunas palabras que creas
a que vas a oír.

b En parejas. Ordenad las ilustraciones e intentad reconstruir la noticia.

c Escucha y comprueba. ¿Cuál es el orden de las ilustraciones?

2|19

7 En grupos de seis. Cada alumno escribe en la parte superior de una hoja el principio de una anécdota
a real o inventada.

> Una noche, estaba yo leyendo en mi habitación y, de repente, oí un ruido.

Cada alumno le pasa la hoja al compañero de la derecha, que la lee y continúa la historia con otra frase,
y así hasta que le llegue al que escribió primero. Este tiene que escribir el final de la historia.

b Léeles a los miembros de tu grupo la historia de la hoja que tengas ahora y escucha las que lean tus
compañeros.

c Decidid cuál es la mejor historia y leédsela al resto de la clase.

Estrategias de aprendizaje: uso del diccionario

8

a ¿Utilizas habitualmente un diccionario monolingüe de español? ¿Qué ventajas e inconvenientes tiene con respecto a uno bilingüe? Coméntalo con tus compañeros.

b En un diccionario monolingüe puedes encontrar, entre otras, estas informaciones. Di cuáles aparecen también en tu diccionario.

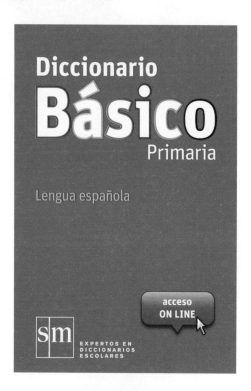

Entrada con división silábica

Definición

Palabras que tienen el mismo significado

Pronunciación y sílaba más fuerte

Ejemplos de uso

Palabras contrarias

Información sobre la conjugación verbal

Categoría gramatical

Explicaciones de uso

c Completa cada una de las cajas con palabras del apartado b).

> **bro-ma** [bróma] s.f. Hecho o dicho con que alguien intenta reírse o hacer reír, sin mala intención: *Es un chico muy gracioso, siempre está haciendo bromas.* Si se hace para engañar a alguien, sin mala intención, se usa con el verbo *gastar*: *Le gastaron una broma: le dijeron que yo era el profesor.* || **Broma de mal gusto**; broma poco fina: *Fue una broma de mal gusto decirle eso y, además, de esa forma tan brusca.* || **Broma pesada**; broma desagradable, que molesta: *Tirarla vestida a la piscina fue una broma pesada.* ■
> SINÓNIMOS: gracia, inocentada. FAMILIA: bromear, bromista.

9 **Elige dos palabras cuyo significado no conozcas y búscalas en el diccionario.**

a

> bromista

> contar un chiste

> bromear

> echarse a reír

> tomar el pelo (a alguien)

> darse un susto

> broma pesada

> hacer gracia (algo, a alguien)

> hacer bromas (a alguien)

> gastar bromas (a alguien)

> extrañar (algo, a alguien)

b **Explícaselas a un compañero que no las conozca. Luego, pídeles a tus compañeros que te expliquen las que no entiendas.**

c **Ahora responde a estas preguntas. Puedes utilizar el diccionario.**

1. ¿Cuál es la sílaba más fuerte de la palabra *desagradable*?
....

2. ¿A qué categoría gramatical pertenece *bromista*?
....

3. ¿Cuántas sílabas tiene *bromear*?
....

4. ¿Qué significa *carcajada*?
....

5. ¿Cuántos significados tiene *extrañar*?
....

6. ¿Qué palabra significa lo mismo que *hacer bromas*?
....

10 Ordena estos hechos para reconstruir la broma que le gastaron una vez a una persona. Puedes usar el
a diccionario.

Llegaron varios coches y, por fin, apareció uno muy elegante en el que iba mi futura mujer.

El día de mi boda llegué al juzgado acompañado de mi hermana, la madrina.

Fui hacia el coche a recibirla y el corazón me latía cada vez más deprisa.

Todo el mundo se echó a reír y empezó a aplaudir la broma. Yo, la verdad, no sabía qué hacer: estaba muerto de vergüenza.

Cuando salió del coche, la encontré preciosa: llevaba un vestido de novia muy bonito y, aunque no se le veía la cara porque la tenía cubierta por un velo blanco, parecía muy contenta ¡y menos nerviosa que yo!

Justo en el momento en que iba a besarla, se descubrió la cara y... ¡resultó que era mi compañera de trabajo, que me recibió con una sonora carcajada!

Como faltaban diez minutos para la ceremonia, me quedé esperando a la novia en la calle.

b Escucha y comprueba.

🎧 2|20

11 Lee otra vez la broma y anota ocho o diez palabras clave para poder contarla.
a

b Cierra el libro y utiliza esas palabras para reconstruir lo que le pasó a esa persona. Cambia una información o añade una nueva.

c Cuéntale la broma a tu compañero. ¿Sabe cuál es la información nueva? ¿Le parece más graciosa la broma pensada por ti que la que ha leído en el apartado a)?

12

a ¿Recuerdas alguna broma que hayas hecho o que te hayan hecho a ti? ¿En qué consistió? ¿Cómo reaccionaste? Prepara lo que vas a decir. Puedes usar un diccionario.

b Cuéntale tu broma a un compañero y escucha la suya. Asegúrate de que la has entendido y completa este cuadro.

¿Quién hizo la broma?	¿A quién se la hizo?
¿En qué consistió?	¿Cómo reaccionó?

c Escribe la broma que te ha contado tu compañero.

d Pásasela para que confirme los hechos y te comente los posibles errores.

e Si es necesario, escribe la broma de nuevo. Luego, ponla en una pared de la clase para que todos puedan leerla.

Recuerda

COMUNICACIÓN

Especificar el número de veces que se realizó una acción

- Ayer hablé cuatro veces por teléfono con Marisa.

Especificar la duración de una acción o actividad pasada

- Estuvimos más de una hora allí.
- La visita duró casi dos horas.

GRAMÁTICA

Pretérito indefinido
(Ver resumen gramatical, apartados 2.1.1.2 y 2.1.1.3)

COMUNICACIÓN

Expresar dos acciones pasadas que se desarrollan simultáneamente

- Mientras Arturo hacía la cena, su mujer preparaba las clases del día siguiente.

GRAMÁTICA

Pretérito imperfecto
(Ver resumen gramatical, apartados 2.2.3 y 4.3)

COMUNICACIÓN

Expresar una acción inminente que no se llegó a realizar

- Iba a cambiarse de calzado cuando oyó ronquidos. Buscó su origen y vio...

GRAMÁTICA

Pretérito imperfecto
(Ver resumen gramatical, apartado 2.3.3)

COMUNICACIÓN

Describir la situación o las circunstancias en las que se produjo un hecho

- Cuando bajaba las escaleras se cayó.
- Al salir del restaurante, la vi.
- Estábamos comiendo cuando llegó Jaime.

GRAMÁTICA

Imperfecto-indefinido
Imperfecto de *estar* + gerundio
(Ver resumen gramatical, apartado 2.3.1)

Al + infinitivo
(Ver resumen gramatical, apartado 4.3)

COMUNICACIÓN

Expresar una acción pasada anterior a otra acción o a una situación pasada

- Cuando llegué ya había empezado la película.

GRAMÁTICA

Pretérito pluscuamperfecto (repaso)
(Ver resumen gramatical, apartados 1.3 y 2.5)

El Día de los Santos Inocentes

1 **a** **Lee el texto y comprueba si las siguientes informaciones son verdaderas o falsas.**

	V	F
1. Los Santos Inocentes es una fiesta de origen religioso.	☐	☐
2. La costumbre de gastar bromas el 28 de diciembre es moderna.	☐	☐
3. La fiesta se celebra solo en España y Latinoamérica.	☐	☐
4. Los medios de comunicación también gastan bromas ese día.	☐	☐

Cuenta la Biblia que, cuando nació Jesús, Herodes temía que le quitara el puesto de rey. Para evitarlo, y como no sabía dónde estaba Jesús exactamente, ordenó matar a todos los niños menores de dos años de la ciudad de Belén y alrededores. En recuerdo de la muerte de todos esos inocentes, los cristianos celebran el 28 de diciembre el Día de los Santos Inocentes.

En la Edad Media, las gentes de la Iglesia empezaron a celebrar la fiesta con humor, y en la actualidad, en España, Latinoamérica y algunos países mediterráneos, es tradición gastar bromas ese día. Algunas inocentadas tradicionales consistían en regalar tartas saladas o clavar monedas en el suelo.

Actualmente se hacen cosas como pegar un monigote de papel en la espalda de alguien, que lo lleva sin saberlo, o gastar una broma por teléfono.

Los medios de comunicación –prensa, televisión, radio, internet– participan también en las inocentadas, dando noticias falsas, firmadas en muchos casos por un sospechoso redactor llamado Inocencio Santos.

b **¿Qué inocentadas mencionadas en el texto puedes ver en las ilustraciones?**

c **¿Existe también en tu cultura algún día en el que se hacen bromas a los demás? ¿Qué tipo de bromas? Coméntalo con tus compañeros.**

2
a

Lee estos titulares de prensa de diversos países de habla hispana. Uno de ellos no es una inocentada. ¿Sabes cuál?

Científicos afirman que el tabaco alarga la vida

A partir de marzo, los trabajadores disfrutarán de tres días libres a la semana

El precio de la gasolina baja un 20 %

Primer ministro británico se sube el sueldo el 40 %

A partir de enero, el uso de transportes públicos será gratuito

El aeropuerto de la capital cambia de nombre. A partir de mañana recibirá el nombre del alcalde

Presidentes de Estados Unidos y Rusia forman dúo musical y graban un disco

La edad de jubilación se rebaja a los 60 años para los hombres y a los 55 para las mujeres

La FIFA estudia cambiar el reglamento. Los equipos de fútbol tendrán quince jugadores

Las televisiones finalizarán su programación a las nueve de la noche para ahorrar energía

b Escribe algún titular falso. Luego, enséñaselo a tus compañeros. Votad para elegir los más ingeniosos.

Elige el final

1
a Lee este cuento incompleto del escritor español Luis Mateo Díez y pregúntale al profesor qué significa lo que no entiendas.

UN SUCESO

Me desperté con sed. Lola dormía. Me levanté con cuidado, sin dar la luz, salí de la habitación, avancé a oscuras por el pasillo. Entonces tropecé con alguien. Unos pasos apresurados se perdieron hacia la cocina y la puerta se cerró tras ellos.

Tardé un momento en reaccionar. Seguí por el pasillo hasta alcanzar el interruptor de la luz y luego, decidido, abrí de golpe la puerta de la cocina.

El hombre se había subido en el alféizar de la ventana abierta.
–No, por Dios –dijo–, no avise a la policía.
En su rostro el terror allanaba el gesto de su mirada enferma.
–Ángel –musité, como si de pronto mi memoria sufriera una sacudida.
–Martín –respondió con incredulidad instantes después.
Lola llamaba excitada desde el pasillo.
Cuando llegó a la cocina vio abrazados a aquellos dos amigos de la infancia, y...

LUIS MATEO DÍEZ: *Los males menores*.

b Lee estos tres posibles finales del cuento y asegúrate de que los entiendes.

1. ... yo le expliqué nuestra antigua relación. Quiso saber los motivos del frustrado robo de Ángel y, cuando los supo, trató de tranquilizarlo y le ofreció toda nuestra ayuda.

2. ... ver esa escena tan tierna y escuchar la explicación de nuestra antigua relación le hicieron emocionarse. Terminó uniéndose a nuestro abrazo.

3. ... su irrevocable decisión de llamar a la policía fue lo que motivó el inicio de la definitiva crisis de nuestro matrimonio.

c Elige el que más te guste y dile a la clase cuál es.

d ¿Cuál crees que es el que creó el autor del cuento? Díselo al profesor y comprueba si lo has acertado.

Escribe el final

2 **Lee este relato incompleto del escritor español Manuel L. Alonso y averigua qué significan las palabras**
a **que no entiendas.**

El tren iba medio vacío, y desde mi
........................., situado cerca de la puerta
delantera del vagón, no se ....
a ningún otro pasajero, lo que me permitía
imaginar que .... a solas. Úni-
camente en una ocasión se abrió aquella
puerta para dar paso a una chica en la que no
.... demasiado y que me echó un
vistazo al pasar. Después dejamos atrás un par
de estaciones cuyos nombres no retuve. Hubo
un largo trecho sin ...., hasta
Linares-Baeza, y después el ....
cambió para volverse más montañoso.

Empezaba a considerar la posibilidad de
.... un rato cuando advertí
que alguien se había detenido a mi lado. La
misma chica de antes, que probablemente
.... fuego o un rato de conversación.

Se .... junto a mí sin pedir
permiso. Tenía el pelo negro y muy espeso y
llevaba puestas unas gafas igualmente negras.
Sus .... pintados de un rojo oscu-
ro se curvaron en una .... que me
resultó extrañamente familiar. [...]

b **Asegúrate de que entiendes estas palabras. Luego, completa el relato con ellas.**

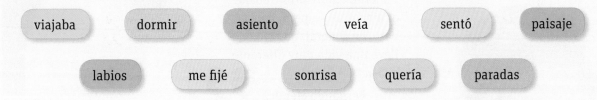

viajaba   dormir   asiento   veía   sentó   paisaje

labios   me fijé   sonrisa   quería   paradas

c **¿Qué crees que hizo la chica? ¿Y cómo reaccionó el chico? ¿Quién era ella? ¿Qué pasó después? Escribe el**
final del relato. Pídele al profesor la ayuda que necesites.

d **En grupos de tres. Léeles tu final a tus compañeros y comprueba si coincide en algo con el de alguno de**
ellos.

11 El futuro

OBJETIVOS

- Formular hipótesis sobre el futuro
- Expresar posibilidad
- Expresar certeza
- Expresar falta de certeza

1 Lee lo que dicen estas dos personas. ¿Con cuál de ellas te identificas más?

¿CÓMO SERÁ SU VIDA DENTRO DE DIEZ AÑOS?

> Bueno, supongo que viviré en la misma ciudad, pero en otra casa más grande, pues puede que tenga hijos. Seguramente tendré otro trabajo, al menos eso espero. Y no sé, pero, en general, no creo que lleve una vida muy diferente a la actual.
>
> **Fernando Méndez**

> Como ya no seré estudiante, mi vida será bastante distinta: estará más organizada, saldré menos y es probable que sea un poco más aburrida. Me imagino que estaré trabajando... ¡ah!, y a lo mejor utilizo el español en mi trabajo.
>
> **Marisa Ferreira**

2 Observa estos adverbios y expresiones que podemos usar para formular hipótesis.

a

Formular hipótesis

Con indicativo	Con subjuntivo	Con indicativo y subjuntivo
Creo (Me) Parece Seguro Es seguro Estoy seguro/-a de .... } que	Es posible Es imposible No es seguro Dudo (de) .... } que	Quizá(s) Tal vez Posiblemente Probablemente

- Seguro que viviré mejor.
- Es posible que viva mejor.
- Posiblemente viva/viviré mejor.

b Lee otra vez las hipótesis de Fernando y Marisa y completa el cuadro.

c ¿Con qué adverbios y expresiones crees que podemos indicar un mayor grado de probabilidad? ¿Y con cuáles menos? Coméntalo con tu compañero.

Estrategias de aprendizaje: traducción

3 A veces, es útil traducir una estructura del español a tu lengua materna: te permite saber el
a significado de la estructura española con seguridad y te ayuda a recordarla. Traduce las siguientes frases a tu idioma; procura hacerlo correctamente, con exactitud.

1. Supongo que continuaré estudiando español el año que viene.

2. Probablemente me case el año que viene.

3. Puede que cambie de trabajo dentro de unos años.

4. A lo mejor trabajo en algo relacionado con el turismo.

5. Quizá vaya a México este verano.

6. Parece que lloverá mañana.

7. Seguro que termino antes de las cinco.

8. Es posible que cuelgue unas fotos en internet esta noche.

b Ahora, sin mirar las frases en español, traduce las de tu idioma al español. Luego, compáralas con las originales.

4 Juega a las tres en raya. En grupos de tres. Un alumno elige una casilla y formula una hipótesis sobre la próxima semana con el adverbio o expresión que haya en ella. Si lo hace bien, escribe su nombre en la casilla. Gana quien obtenga tres casillas seguidas.

Seguro que	No creo que	Es posible que	Me imagino que
Quizá	A lo mejor	Puede (ser) que	Seguramente
Dudo que	Tal vez	Supongo que	No es seguro que
Probablemente	Parece que	Posiblemente	Es probable que

<u>Quizá</u> vaya al cine la semana que viene.

5 Responde a este cuestionario.

a

¿HAS PENSADO ALGUNA VEZ CÓMO SERÁ TU VIDA DENTRO DE VEINTE AÑOS?

1. ¿Vivirás en la población donde vives ahora?
2. ¿Seguirás teniendo tu estado civil actual?
3. ¿Tendrás otro trabajo u otra ocupación?
4. ¿Tus ideas políticas serán las mismas de ahora?
5. ¿Serás muy distinto/-a físicamente?
6. ¿Tendrás el mismo gusto para vestir? ¿Llevarás el mismo tipo de ropa?
7. ¿Te relacionarás con la misma gente que ahora? ¿Tendrás los mismos amigos?
8. ¿Leerás el mismo tipo de libros o de prensa?
9. ¿Practicarás las mismas actividades en tu tiempo libre?
10. ¿Hablarás español con frecuencia?

1. (Seguramente.)
2. (Probablemente no.)
3. (Puede que sí.)
4. ....
5. ....
6. ....

7. ....

8. ....

9. ....

10. ....

b Explícale a un compañero cómo crees que será tu vida dentro de veinte años.

● Seguramente viviré en la ciudad donde vivo ahora. Sin embargo, no creo que siga soltero; supongo que estaré casado…. Sí, seguramente estaré casado. ¿Y tú?
○ Pues yo, posiblemente….

6 En grupos de tres. Por turnos, dos alumnos formulan hipótesis durante tres minutos sobre lo que hará su compañero el año que viene. Él confirmará si cree que son acertadas o no. El objetivo es adivinar la mayor cantidad posible de cosas sobre el compañero.

● Seguro que el año que viene sigues viviendo aquí.
○ Sí, | seguro.
       | probablemente.

Predicciones

7 **Completa con las formas verbales correspondientes estas predicciones sobre el mundo de dentro de
a cien años.**

"Es muy probable que dentro de cien años ………
(haber) autopistas inteligentes que evitarán
accidentes y atascos."

"Seguro que los coches no …………… (necesitar) conductor. Los seres humanos solo tendrán que decir el destino y el coche irá solo."

"Seguramente la gente se …………… (alimentar) de manera muy sana y …………… (tener)
frigoríficos inteligentes que rechazarán los
alimentos malos para la salud."

"Puede que los hombres …………… (dar) a
luz también, no solo las mujeres."

"Estoy segura de que la Medicina …………… (avanzar)
mucho y …………… (morir) poquísimas personas de
enfermedades por las cuales ahora muere mucha gente."

"Posiblemente …………… (haber) más
jubilados que niños."

"Seguramente …………… (existir) un gobierno y un
presidente para todo el mundo y no …………… (haber)
guerras entre países."

"No creo que …………… (existir) el dinero. Solo
se podrá pagar con tarjeta, no en efectivo."

"Tal vez no …………… (haber) anuncios pu-
blicitarios en carteles, vallas o edificios. Los
anuncios se proyectarán en el aire."

"Es muy probable que las personas …………… (poder) circular libremente de un país a otro en todo el
mundo sin presentar el pasaporte."

"Dudo que los libros impresos ………………………
(desaparecer) y solo …………… (existir) los
libros electrónicos."

"Probablemente los humanos ……………
(tener) microchips implantados en el
cerebro y …………… (poder) transmitir
pensamientos y comunicarse sin hablar."

"A lo mejor …………… (estar) prohibida la circulación
de vehículos privados en los centros de las ciudades y
solo se …………… (poder) ir en transporte público, en
bici o a pie."

b **¿Con cuáles de ellas te identificas? Díselo a la clase.**

Yo creo que es muy probable que dentro de cien años haya autopistas inteligentes…

c **En grupos de tres. Escribid otras predicciones sobre el mundo de dentro de cien años.**

d **Comentádselas a la clase. ¿Cuáles de ellas creen vuestros compañeros que se harán realidad?**

El mundo del siglo XXII

8 ¿Te consideras optimista sobre el futuro de la Tierra? Para comprobarlo, te proponemos un cuestiona-
a rio sobre el mundo del siglo XXII, que tú mismo vas a elaborar en parte relacionando cada frase con su
continuación. Puedes usar el diccionario.

EL MUNDO DEL SIGLO XXII

A. No habrá enfermedades hereditarias porque se podrá corregir el genoma humano y...

B. Habrá robots muy desarrollados y sensibles que...

C. La gente estará más sana que ahora porque...

D. No existirá la pobreza extrema en la Tierra y, por tanto, ...

E. No habrá problemas de empleo y...

F. Todos los países podrán financiar la educación pública y...

G. Las relaciones personales serán más fluidas que ahora y...

H. El ser humano no colonizará la Luna, pero tendrá allí bases permanentes...

I. No habrá cambios climáticos importantes y...

J. El ser humano respetará y cuidará el medioambiente más que ahora: ...

☐ ... se cuidará más.

☐ ... producirá menos contaminación y no será un peligro para los animales y las plantas.

☐ ... todos los niños estarán escolarizados.

☐ ... donde algunos científicos trabajarán durante semanas o meses.

[A] ... los padres podrán decidir cómo serán sus hijos.

☐ ... nadie morirá de hambre.

☐ ... las temperaturas serán más o menos como las de ahora.

☐ ... toda la gente tendrá trabajo.

☐ ... será muy fácil hacer amigos.

☐ ... podrán cuidar de ancianos y de bebés.

---

b Fíjate en estas posibles respuestas y anota junto a cada frase el número de la respuesta que más se
aproxime a tu punto de vista.

1. No.   **2.** Tal vez.   **3.** Es posible.   **4.** Seguramente.   **5.** Absolutamente seguro.

c Suma los puntos e interpreta el resultado. ¿Estás de acuerdo?

0-15 puntos: muy pesimista sobre el futuro del mundo.

16-30 puntos: realista.

31-40 puntos: optimista.

41-50 puntos: demasiado optimista.

9 **Relaciona las predicciones con los dibujos.**

a

A

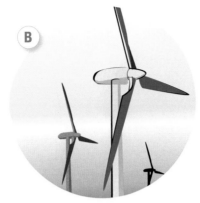

B

C

1 El ser humano utilizará menos recursos naturales que ahora.

2 Se producirán más energías alternativas.

3 Se practicará el turismo lunar.

4 Las sociedades serán más multiétnicas que las actuales.

5 En las ciudades habrá menos atascos.

6 Ciertas enfermedades ya no serán mortales.

D

E

F

b **¿Estás de acuerdo con las predicciones del apartado anterior? Exprésale tus opiniones a tu compañero y justifícalas. Puedes referirte a estas ideas:**

1. Descubrir otras fuentes de energía.
2. Reciclar papel, vidrio, pilas, etc.
3. Emigrar mucha gente.
4. Haber más y mejores transportes públicos.
5. Descubrir remedios médicos.
6. Construir hoteles en la Luna.

● Es muy probable que el ser humano utilice menos recursos naturales que ahora porque estoy seguro de que reciclará más papel, vidrio, pilas, etc.

○ Yo no estoy de acuerdo contigo. A mí me parece que utilizará más recursos porque comprará más cosas.

10 Vas a escuchar una entrevista sobre el futuro del ser humano hecha al científico español Luis Ruiz de
a Gopegui, experto en la exploración del espacio exterior. Antes, escribe dos preguntas que le harías tú.

b Escucha la entrevista. ¿Le han hecho alguna de tus preguntas?

🎧 2|21

c Escucha de nuevo y anota las respuestas a las preguntas del entrevistador. Luego, comenta con tus
compañeros las que te parezcan más interesantes.

🎧 2|22

11 El profesor va a dividir la clase en dos equipos (A y B). Escribe en dos papeles diferentes dos hipótesis
a sobre el mundo del siglo XXII. Pon el nombre de tu equipo en los papeles y dáselos al profesor.

> **EQUIPO A**
>
> En el siglo XXII puede que toda la gente
> viva en ciudades.

b El profesor lee una frase. Si es correcta, obtiene un punto. Si más de la mitad de la clase está de acuerdo
con la hipótesis expresada, obtiene otro punto. A continuación, el profesor dice a qué equipo corresponde
la frase.

12
a Elige un año del futuro para expresar hipótesis en un poema. Sigue esta estructura.

> ## EN EL AÑO...
>
> En el año ....
> seguro que.. ,
> probablemente .... ,
> quizá .... ,
> puede que... ,
> seguro que no ....
>
> En el año ....
> seguro que no .... ,
> puede que... ,
> quizá .... ,
> probablemente .... ,
> seguro que.. .

b Ahora dáselo al profesor para que lo coloque en una pared de la clase. Luego, lee los de tus compañeros: ¿hay alguno que te llame la atención o que te guste mucho? Coméntalo con su autor.

Recuerda

COMUNICACIÓN

Formular hipótesis sobre el futuro
Expresar posibilidad
Expresar certeza
Expresar falta de certeza

- A lo mejor me cambio de casa el año que viene.
- No es seguro, pero puede que vaya al cine mañana.
- Posiblemente iré/vaya a verte en Navidades.
- Supongo que dentro de diez años seguiré viviendo en esta ciudad.
- Seguro que apruebo, es que he estudiado mucho.
- No estoy segura de que el futuro sea siempre mejor que el presente.
- Dudo que termine antes de las dos porque he empezado muy tarde.

GRAMÁTICA

Operadores para introducir hipótesis con:
- indicativo
- subjuntivo
- indicativo y subjuntivo
  (Ver resumen gramatical, apartado 31)

Futuro simple
  (Ver resumen gramatical, apartado 1.6)

Presente de subjuntivo
  (Ver resumen gramatical, apartado 1.4)

Comercio justo para un presente y un futuro mejores

1 **Asegúrate de que entiendes estas palabras.**

a
- ayuda
- caminos
- actividad
- medioambiente
- trabajo
- mujeres
- mochilas
- educación
- económica
- beneficios

b **Lee el texto (puedes usar el diccionario). Luego, complétalo con las palabras del apartado a).**

COMERCIO JUSTO

El comercio justo es una alternativa al comercio tradicional. Frente a los criterios básicamente económicos de este último, tiene en cuenta, además, valores éticos relacionados con aspectos sociales y ecológicos. Así:

- Campesinos y pequeños productores de zonas empobrecidas encuentran una salida para vivir dignamente de su ....

- Los consumidores obtienen productos de calidad, con la garantía de que se han respetado los derechos de los trabajadores y el ....

Muchas de las tiendas de comercio justo están gestionadas por una ONG (organización no gubernamental) con mucha experiencia en los problemas que viven las personas más pobres, bien porque gestiona proyectos o bien porque realiza campañas de sensibilización o actividades de .... para el desarrollo.

Pero también hay particulares, preocupados por la situación de las comunidades más pobres, que realizan este tipo de .... comercial como una forma de trabajo que, a su vez, beneficia a los productores.

Los productores pueden ser familias, pequeñas cooperativas, grupos de ...., talleres para minusválidos o cooperativas de mayor tamaño formadas por grupos de productores. Por razones económicas, geográficas, falta de experiencia o de recursos no tienen acceso directo al mercado o, si lo tienen, no consiguen un precio suficiente para mantenerse.

Tienda de comercio justo

Los propios productores deciden y gestionan sus proyectos de desarrollo con los .... que obtienen de vender sus productos a un precio mejor a través del comercio justo. Los siguientes son algunos de los proyectos de desarrollo que se están realizando en América Latina:

Plantación de café

- **Unión de la Selva** es una cooperativa cafetalera integrada por cerca de 1500 familias campesinas de Chiapas, el estado más empobrecido y marginado de México. La mitad de su producción de café la venden por medio de organizaciones de comercio justo.

Entre sus proyectos de desarrollo destacan la construcción de .... para facilitar la comunicación y el transporte de sus productos, así como diversos programas sociales: apertura de tiendas a precios económicos, educación complementaria, vivienda, salud, etc.

- **El Ceibo.** Unas 1000 familias campesinas del Alto Beni boliviano componen esta cooperativa, y gestionan la producción y comercialización de cacao. Venden el 20 % a través del comercio justo, y la cooperativa se ocupa de la capacitación profesional y la investigación para mejorar y diversificar los cultivos. También colabora en el desarrollo de la comunidad, con especial atención a programas de salud y a la .... a los campesinos jubilados.

- **La Malinche.** Está formada por un grupo de mujeres de las comunidades indígenas de El Chile y El Zapote, en Nicaragua. Hacen a mano productos de tejidos y cuero: bolsos, ..., carteras, etc. Las mujeres que integran La Malinche han encontrado una alternativa de trabajo en una zona muy afectada por la crisis ....

SETEM: *Preguntas y respuestas sobre comercio justo* (adaptado).

2 Selecciona las ideas que te parezcan más interesantes y prepara preguntas sobre ellas.

a

b Házselas a un compañero.

3 Piensa en las respuestas a estas preguntas y coméntalas con la clase.

- ¿Hay alguna tienda de comercio justo en la localidad en la que vives?
- ¿Sueles comprar en ellas? En caso afirmativo, ¿por qué y qué tipo de productos?
- ¿Cuál crees que será el futuro del comercio justo? ¿Piensas que se practicará más? ¿Por qué?

1 **Lee estas informaciones sobre la casa del futuro y marca en la columna "antes de leer" si te parecen
a verdaderas o falsas.**

ANTES DE LEER   DESPUÉS DE LEER

V   F   V   F

☐ ☐ En el futuro aumentará la relación entre el cuarto de baño y el tiempo libre.   ☐ ☐

☐ ☐ Se cocinará más que ahora y se tomarán más alimentos naturales.   ☐ ☐

☐ ☐ La gente pasará más tiempo que ahora en el salón.   ☐ ☐

☐ ☐ Habrá más relación entre los miembros de la familia.   ☐ ☐

☐ ☐ La gente saldrá más que ahora.   ☐ ☐

b **Lee el texto y marca la columna "después de leer". ¿Hay algo que te sorprenda?**

LA CASA DEL FUTURO

En un futuro no muy lejano, las viviendas en las que habitaremos serán sensiblemente distintas a nuestras casas actuales. Seguramente los mayores cambios tendrán lugar en el cuarto de baño y en la cocina. El primero se convertirá en un espacio destinado en parte al tiempo libre y reflejará el estatus de sus propietarios y el individualismo y el aislamiento en el que vivirán. Quien tenga la suficiente capacidad económica incluirá en él un gimnasio, un solárium y una sauna.

Probablemente la cocina ganará importancia, mientras que el comedor y el salón la perderán. Se comerá o se cenará con los invitados en la cocina, y las reuniones se

celebrarán allí; no habrá servicio doméstico y el marido colaborará con la mujer en esos momentos. Es casi seguro que en la cocina habrá un ordenador para hacer las telecompras y para mantener teleconversaciones. Cada miembro de la casa utilizará el microondas para calentar su plato precocinado. Las diferentes pantallas de la casa permitirán a cada persona ver su programa favorito. Habrá más individualismo, menos familia agrupada y menos relación exterior. Los espacios comunitarios que tienen hoy las viviendas darán paso a espacios de trabajo informatizado o a espacios de ocio, ambos de carácter esencialmente individual.

El País (adaptado)

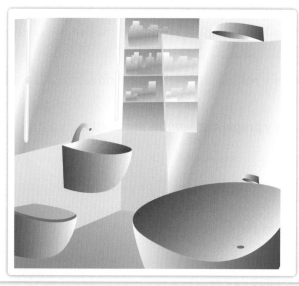

c **¿Crees que habrá otros cambios importantes relacionados con la casa y la vida en ella? Díselo a tus compañeros.**

Un cuento de Mario Benedetti

2 Lee este cuento (puedes consultar el diccionario). ¿Cuántas hipótesis se formulan en él? ¿Cuáles son?

a

LOS BOMBEROS

Olegario no solo fue un as del presentimiento, sino que además siempre estuvo muy orgulloso de su poder. A veces se quedaba absorto por un instante, y luego decía: "Mañana va a llover". Y llovía. [...] Entre sus amigos gozaba de una admiración sin límites.

Algunos de ellos recuerdan el más famoso de sus aciertos. Caminaban con él frente a la Universidad, cuando de pronto el aire matutino fue atravesado por el sonido y la furia de los bomberos. Olegario sonrió de modo casi imperceptible, y dijo: "Es posible que mi casa se esté quemando".

Llamaron un taxi y encargaron al chofer que siguiera de cerca a los bomberos. Estos tomaron por Rivera, y Olegario dijo: "Es casi seguro que mi casa se está quemando". Los amigos guardaron un respetuoso y afable silencio; tanto lo admiraban.

Los bomberos siguieron por Pereyra y la nerviosidad llegó a su colmo. Cuando doblaron por la calle en que vivía Olegario, los amigos se pusieron tiesos de expectativa. Por fin, frente mismo a la llameante casa de Olegario, el carro de bomberos se detuvo y los hombres comenzaron rápida y serenamente los preparativos de rigor. De vez en cuando, desde las ventanas de la planta alta, alguna astilla volaba por los aires.

Con toda parsimonia, Olegario bajó del taxi. Se acomodó el nudo de la corbata, y luego, con un aire de humilde vencedor, se aprestó a recibir las felicitaciones y los abrazos de sus buenos amigos.

MARIO BENEDETTI: "Los bomberos", *La muerte y otras sorpresas*.

b ¿Qué te parece Olegario? ¿Cómo lo describirías?

A mí me parece que es un personaje especial…

c ¿Has acertado alguna vez algo sobre el futuro? ¿Y alguna persona que conoces? ¿Qué era? Cuéntaselo a la clase.

• Una vez dije que iba a… y acerté. Lo dije porque tuve ese presentimiento.

○ Pues yo (tengo un amigo que a veces acierta cosas. Yo creo que lo hace porque es muy imaginativo. Un día nos dijo que iba a… y luego pasó eso).

12 Interculturalidad

OBJETIVOS

- Describir gestos
- Describir costumbres y comportamientos
- Hablar de normas sociales
- Valorar
- Expresar gustos
- Expresar sorpresa

Gestos

1a Fíjate en estas formas de expresar "no" y "ven" en diferentes partes del mundo.

2 Significado: No. Utilizado en Japón.

1 Significado: No. Utilizado en Grecia.

3 Significado: Ven. Utilizado en muchos países del centro y el norte de Europa.

4 Significado: Ven. Utilizado en Portugal, Latinoamérica, España, Italia, Túnez, Grecia y Turquía.

b **Ahora mira estos gestos, que tienen distintos significados según los países.**

5 Significado: No. Utilizado en muchos países árabes y en algunas zonas del Mediterráneo.

6 Significado: Sí. Utilizado en Etiopía.

7 Significado: Borracho. Utilizado en Francia.

8 Significado: No importa. Utilizado en África oriental.

El Correo de la Unesco

c **Lee las descripciones de los gestos de a) y b) y relaciónalas con las imágenes. (Recuerda que alguna descripción corresponde a dos imágenes).**

A. Se levantan y se bajan las cejas rápidamente una sola vez.

B. Se mueve y se dobla varias veces la mano hacia arriba, con la palma hacia arriba.

C. Se mueve con rapidez la cabeza hacia arriba y hacia atrás al mismo tiempo.

D. Se rodea la nariz con los dedos pulgar e índice, y la mano hace un movimiento circular.

E. Se mueve y se dobla repetidas veces la mano hacia abajo, con la palma hacia abajo.

F. La mano derecha, abierta y con la palma dirigida hacia la izquierda, se mueve de lado a lado frente a la cara.

A. ...1... B. ...... C. ...... D. ...... E. ...... F. ......

d **Lee las frases de c) de nuevo y fíjate en el contexto para tratar de descubrir el significado de las palabras que no conozcas. Luego, puedes usar el diccionario para comprobar si lo has hecho correctamente.**

2 **¿También se expresan con gestos esos significados en tu país? ¿Con cuáles? Explícaselo a tus compañeros.**

> Para expresar "sí" (se mueve la cabeza así...).
> Para expresar "no importa" (se mueve la mano así y se hace este gesto con la cara).

3 ¿Sabes qué significan los gestos de estos dibujos en España o en Latinoamérica? Empareja cada uno con
a una de estas frases.

1. Más o menos.   4. ¡Se me ha olvidado!   7. No.
2. Estoy harto.   5. No lo sé.   8. ¡Corta el rollo!
3. Sí.   6. ¡Qué cara (tienes)!   9. ¡Estás loco/-a!

1. ......   2. ......   3. ......   4. ......   5. ......   6. ......   7. ......   8. ......   9. ......

b Piensa en algún gesto utilizado en España o en Latinoamérica que conozcas y que creas que no conocen
tus compañeros. Enséñaselo y explícales cuándo y cómo se usa.

c Elige un gesto que haces a menudo cuando hablas tu lengua. ¿Significa lo mismo en España o en Latinoamérica que en tu país? ¿Se utiliza en situaciones similares? Díselo a tus compañeros.

Estrategias de comunicación

4 ¿Qué haces cuando quieres expresar algo y no conoces o no recuerdas una palabra o expresión que
a necesitas? Coméntaselo a la clase.

> Doy una definición de la palabra.

b En ese mismo caso también se puede recurrir a los gestos y a la mímica. En parejas, imaginad una situación en la que se podrían emplear algunos gestos. Luego, cread un diálogo para esa situación y tratad
de memorizarlo.

c Ahora representad la situación ante vuestros compañeros. Ellos tienen que fijarse en qué gestos habéis
hecho y qué significa cada uno.

5 Lee este texto y di si estás de acuerdo con lo expresado en él. Para responder, puedes pensar en tu experiencia como estudiante de español y referirte a cosas que te hayan ocurrido.

Lengua y cultura

Al aprender una lengua descubrimos información cultural sobre la sociedad en la que se habla. Parte de esa información se refiere a las costumbres y comportamientos de sus miembros, y no siempre coinciden con los nuestros. En realidad, comprobamos que existen diversas formas de interpretar y hacer las cosas. Si somos sensibles a las diferencias, será más fácil entender y aceptar esas costumbres y esos comportamientos, y también resultará más fácil que nos entiendan y nos acepten a nosotros.

6

a Vas a leer un fragmento de la novela *La tesis de Nancy*. Nancy es una chica estadounidense que está haciendo su tesis en España. En este fragmento se describe cómo reaccionó después de escuchar un discurso. Estas palabras van a aparecer en el texto; asegúrate de que las entiendes.

> manotear   aplaudir   silbar   entusiasmo   trágico

¿Crees que a Nancy le gustó el discurso?

b Ahora lee el texto y comprueba tus predicciones.

Ayer me sucedió algo de veras trágico. Había un acto oficial en nuestra universidad, bajo la presidencia del mismo rector, un hombre poco atlético, la verdad, cuyo discurso iba a ser la parte fuerte del programa. Habló muy bien, aunque manoteando demasiado para mi gusto, y luego todo el mundo se puso de pie y aplaudió. Como yo quería demostrar mi entusiasmo a la manera americana, me puse dos dedos en la boca y di dos o tres silbidos con toda mi fuerza.

No puedes imaginar lo que sucedió. Todos callaron y se volvieron a mirarme. Yo vi en aquel momento que toda aquella gente era enemiga mía. Había un gran silencio y se podía oír volar una mosca. Luego se acercaron dos profesores y tomaron nota de mis papeles de identidad. Mistress Dawson estaba conmigo y se portó bien, lo reconozco. Explicó que en América silbamos para dar a nuestros aplausos más énfasis.

RAMÓN J. SENDER: *La tesis de Nancy*.

c Lee de nuevo el texto y responde a las preguntas.

- ¿Por qué silbó Nancy?
- ¿Cómo reaccionó el público cuando oyó los silbidos?
- ¿Cuál crees tú que fue la verdadera causa de esa situación conflictiva?

Lee y responde a este cuestionario.

COSTUMBRES Y COMPORTAMIENTOS

1. ¿Cómo saludas a un amigo o a una amiga a quien no has visto en los últimos días?
2. ¿Cómo saludas a un hombre cuando te lo presentan? ¿Y a una mujer?
3. Cuando llegas a un país cuyos horarios son diferentes a los tuyos, ¿te adaptas a ellos?
4. ¿Llegas puntualmente a las citas?
5. Cuando alguien te invita a comer en su casa, ¿le llevas algún regalo?
6. ¿Cómo te sientes y qué piensas cuando estás comiendo en casa de alguien que te ofrece mucha comida o insiste en que comas más?
7. ¿Qué haces cuando recibes un regalo que no te gusta nada?
8. ¿Cómo te sientes y qué piensas cuando estás hablando con alguien que no conoces mucho y te toca (por ejemplo, el brazo)?
9. ¿Qué haces o dices cuando algún conocido con el que no tienes mucha confianza te invita a hacer algo (por ejemplo, ir al cine) y no quieres aceptar la invitación?
10. ¿Qué haces o dices cuando alguien te ofrece una comida que en su país se considera algo exquisito, pero que para ti es repugnante?

Compara tus respuestas con las de un compañero para comprobar si hay muchas que no coinciden. Después, comentádselo a la clase.

Escucha a un mexicano comentando algunos aspectos culturales del cuestionario con una amiga española y toma nota de lo que dice.

2|23

Piensa en lo que has escuchado y comenta con tus compañeros si has encontrado diferencias importantes con respecto a tu cultura.

Lee lo que dicen algunos estudiantes sobre algunas costumbres y comportamientos de los españoles.

"A mí me parece muy gracioso que los españoles se muevan y gesticulen tanto cuando hablan".

"No me gusta que la gente sea impuntual. Y yo conozco a algún español que lo es".

"A mí me sorprende que los bares y las discotecas cierren tan tarde, sobre todo los fines de semana".

"Me encanta que la gente salga tanto, me alegra mucho ver gente por la calle".

"A mí me llama la atención que los españoles hablen tan alto. Parece que están hablando con sordos".

"Es natural que la gente salga tanto. Hace un tiempo tan bueno..."

"Es lógico que algunos españoles duerman la siesta. Si se acuestan tan tarde..."

b **Di cuáles de las frases anteriores han sido utilizadas para expresar:**

- Gustos.
- Sorpresa o extrañeza.
- Valoraciones de acciones.

c **En parejas. Leed las frases de nuevo y fijaos en los tiempos verbales que contienen. ¿Qué podéis decir? Intentad formular la regla.**

d **Y tú, ¿qué opinas sobre lo que dicen esos estudiantes?**

- A mí también me parece gracioso que los españoles gesticulen tanto cuando hablan.
- Pues a mí no me gusta que…

9 **Escucha a una argentina de visita en España comentando con un amigo español sus impresiones sobre el país. ¿Cuáles de los aspectos del recuadro menciona?**

a

2|24

• Comidas	• Horarios
• Rasgos físicos	• Carácter
• Tiempo libre	• Clima

b **Vuelve a escuchar y presta atención a lo siguiente:**

2|25

- Lo que más le llama la atención.
- Lo que le resulta curioso o interesante.
- Lo que le gusta o no le gusta.

10 **En grupos de cuatro. Habla con tus compañeros sobre las costumbres españolas o de algún país latinoamericano que conozcas y diles cuáles…**

… te gustan.
… te llaman la atención.
… te parecen interesantes, curiosas, etc.

- Lo que más me llama la atención de Madrid es que cuando pides una bebida en un bar, te ponen un pincho gratis.
- Pues a mí me llama la atención que la gente hable tan alto y con tanta energía. Parece que están discutiendo.

¿Con qué compañeros coincides más en tus comentarios?

11 **Cuando hablas español, ¿haces o dices cosas que no haces o no dices cuando hablas tu lengua? Coméntaselo a tus compañeros.**

Desde que estoy en España ceno a las nueve y media de la noche; en mi país se cena mucho antes.
En español digo "por favor" menos que en mi lengua.
Cuando hablo español, gesticulo más.

12 **Responde a esta pregunta y habla con tus compañeros.**

a

¿Qué costumbres y comportamientos propios de tu país crees que son más peculiares? Ten en cuenta, entre otros, los siguientes aspectos.

Carácter de la gente

Costumbres

Comidas

Normas o convenciones sociales

Clima

Actitud ante el trabajo

Tiempo libre

b **Di cuáles de estas costumbres y normas sociales se pueden aplicar a tu país.**

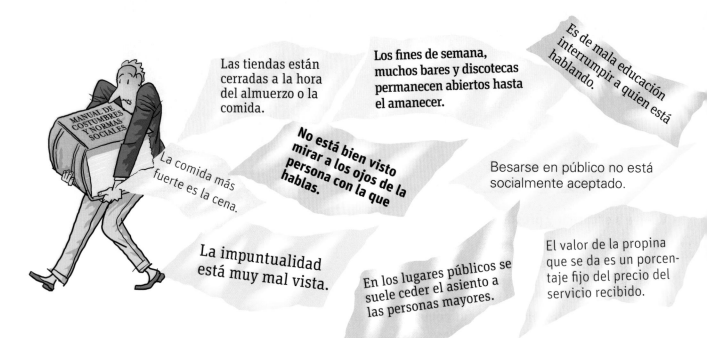

MANUAL DE COSTUMBRES Y NORMAS SOCIALES

Las tiendas están cerradas a la hora del almuerzo o la comida.

Los fines de semana, muchos bares y discotecas permanecen abiertos hasta el amanecer.

Es de mala educación interrumpir a quien está hablando.

La comida más fuerte es la cena.

No está bien visto mirar a los ojos de la persona con la que hablas.

Besarse en público no está socialmente aceptado.

La impuntualidad está muy mal vista.

En los lugares públicos se suele ceder el asiento a las personas mayores.

El valor de la propina que se da es un porcentaje fijo del precio del servicio recibido.

c En parejas. Elaborad una lista de costumbres y normas sociales de vuestro país.

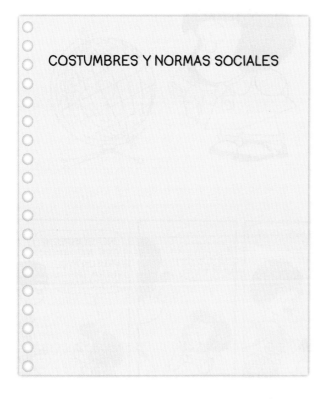

COSTUMBRES Y NORMAS SOCIALES

d Leed las listas de los demás compañeros y elegid la menos parecida a la vuestra.

e Diles a tus compañeros qué informaciones de las listas que has leído te parecen más curiosas o interesantes y por qué.

f Piensa en la lista que has hecho en c). ¿Qué costumbres y normas sociales crees que pueden llamar más la atención a una persona de otro país? ¿Y cuáles pueden parecerle más interesantes? Compruébalo con tus compañeros.

Recuerda

COMUNICACIÓN

Describir gestos

- Para expresar "no", se mueve la cabeza así...
- Para expresar "hay mucha gente", se ponen los dedos así...

GRAMÁTICA

Impersonalidad: *se*

(Ver resumen gramatical, apartado 22.1)

COMUNICACIÓN

Describir costumbres y comportamientos

- En mi país se cena / suele cenar sobre las ocho.
- Cuando te invita un amigo a comer en su casa, le llevas un regalo.

GRAMÁTICA

Impersonalidad: *se, tú*

(Ver resumen gramatical, apartados 22.1 y 22.4)

COMUNICACIÓN

Hablar de normas sociales

- Es de mala educación preguntar cuánto gana a alguien con quien no tienes mucha confianza.
- No está bien visto llegar tarde a una cita.

GRAMÁTICA

Ser-estar

Es de mala educación | + infinitivo
No está bien visto |
Sustantivo + *está (muy) mal visto/-a*

(Ver resumen gramatical, apartado 26)

COMUNICACIÓN

Valorar

- Es lógico que la gente salga tanto. Hace un tiempo tan bueno...

GRAMÁTICA

(A mí) Me parece / es lógico/natural/... + que + subjuntivo

(Ver resumen gramatical, apartado 27)

COMUNICACIÓN

Expresar gustos

- A mí me encanta que las discotecas cierren tarde.

GRAMÁTICA

Me gusta/encanta + que + subjuntivo

(Ver resumen gramatical, apartado 28)

COMUNICACIÓN

Expresar sorpresa

- A mí me sorprende que las tiendas cierren a la hora del almuerzo.

GRAMÁTICA

Me sorprende / llama la atención + que + subjuntivo

(Ver resumen gramatical, apartado 16.3.3)

Mafalda

1 ¿Conoces los cómics de Mafalda? ¿Has leído alguno? ¿Sabes algo de ella? Díselo a tus compañeros.

2 Lee esta tira de Mafalda. ¿La entiendes?
¿Te ha gustado?

3
a Ahora vas a participar tú en la elaboración de otra tira. Aquí tienes las viñetas desordenadas. ¿Puedes ordenarlas?

QUINO, *Todo Mafalda.*

b Compara con tu compañero. ¿Estáis de acuerdo?

c ¿Ya te vas haciendo una idea sobre esta niña? ¿Qué adjetivos utilizarías para describir su carácter?

4 **La revista argentina *Confirmado* publicó una vez una entrevista a Mafalda (las respuestas fueron firmadas por ella). En la columna de la izquierda hay algunas de las preguntas de aquella entrevista. A la derecha encontrarás, desordenadas, sus respuestas. Intenta relacionar cada una de ellas con la pregunta correspondiente.**

a

1. ¿Qué hacen tus papás?

2. ¿Qué aprendés en la escuela?

3. ¿Te gustan los cuentos de hadas?

4. ¿Cómo elegís a tus amigos?

5. ¿En qué creés, entonces?

6. A mucha gente le parecés atrevida e insolente...

A. En mi generación.

B. Mi papá trabaja en una oficina. Mi mamá es ama de casa. Hoy en día cuesta ser original.

C. A leer, escribir y otras cosas. Algunas parece que después no son muy como son, pero es bueno aprender todo.

D. No sé. Si hay un método, debe de ser parecido al que usa un pajarito para elegir el árbol que le gusta más.

E. Esos son términos de gente vieja resentida. Porque también está la gente vieja macanuda, que entiende lo que está pasando en el mundo.

F. Son entretenidos, pero lo que no me gusta es que siempre el protagonista es muy pobre y soluciona su problema casándose con alguien de palacio, y chau. Eso estaría muy bien en la época en que había menos pobres y más palacios, pero hoy...

b **Lee la entrevista de nuevo y señala las palabras que se utilizan en Argentina, pero no en todos los países de habla hispana.**

5 **Lee este texto con opiniones de Umberto Eco sobre Mafalda. Puedes utilizar el diccionario.**

a

MAFALDA Y SU MUNDO

Mafalda rechaza el mundo tal como es. Pertenece a un país de contrastes sociales, que a pesar de todo desearía integrarla y hacerla feliz, pero ella se niega y rechaza todas las ofertas. Vive en un continuo diálogo con el mundo adulto, mundo al cual no estima, no respeta, humilla y rechaza, reivindicando su derecho a seguir siendo una niña que no quiere hacerse cargo de un universo adulterado por los padres.

En materia política, Mafalda tiene ideas muy confusas. Solo sabe una cosa claramente: no está conforme.

El universo de Mafalda es el de una América Latina en sus zonas metropolitanas más adelantadas, pero es en general, desde muchos puntos de vista, un universo latino.

UMBERTO ECO: Prólogo de la primera edición italiana de *Mafalda, la contestataria* (adaptado).

b **¿Verdadero o falso? Lee otra vez el texto y señálalo.**

	V	F
• Mafalda quiere integrarse en la sociedad.	☐	☐
• No le gusta el mundo de los mayores.	☐	☐
• Sus ideas políticas están claramente definidas.	☐	☐
• Mafalda vive en un ambiente latinoamericano urbano.	☐	☐

España en las guías turísticas

1 Lee este texto. Puedes usar el diccionario.
a

LA IMAGEN DE ESPAÑA EN LAS GUÍAS TURÍSTICAS

España recibe cada año a unos sesenta millones de extranjeros y es el segundo destino más visitado del mundo. En cualquier país se pueden encontrar muchas guías turísticas escritas por autores extranjeros en las que aparecen tópicos, informaciones y comentarios muy variados sobre España y los españoles, unos acertados y otros no tanto.

En muchas de ellas se dice que los españoles son abiertos, amables, acogedores, hospitalarios y que se esfuerzan en ayudar a la gente. Se asegura que hablan mucho y muy alto, que escuchan poco, que son escandalosos y no muy tolerantes. En alguna se afirma que critican mucho a ciertos personajes públicos, sobre todo a los políticos, pero que no es habitual oír hablar mal del rey. En casi todas podemos leer que tienen un peculiar sentido del tiempo y son impuntuales: si quedas con alguien, es bastante frecuente tener que esperar entre diez y veinte minutos; eso sí, a las citas de negocios llegan puntualmente.

También son conceptuados como personas cariñosas que manifiestan fácilmente su afecto y tienen mucho contacto físico en público. Con respecto a su aspecto, en alguna se considera que dan una gran importancia a las apariencias y a la ropa, y que las mujeres suelen arreglarse mucho.

Por lo general, se resalta la variedad de la cocina española, así como las bondades de la dieta mediterránea, aunque algunas critican ciertos platos grasientos y que hay restaurantes que abusan de la sal. Todas ellas destacan el tapeo, su carácter colectivo, su componente social y la gran cantidad de tiempo que los españoles pasan en los bares compartiendo bebida, alimentos y conversación. También mencionan los horarios "relajados" de los bares y restaurantes, así como el ruido que hay que soportar en ellos.

Y, por supuesto, todas hacen referencia a la siesta y a sus efectos beneficiosos. Muchas de ellas dan a entender que todos los españoles se echan la siesta incluso cuando no están de vacaciones. Algo parecido hacen con otros temas tan relacionados con España como los famosos toros y el flamenco: según sus autores, prácticamente a todos los españoles les gustan los toros y ese tipo de música y de baile. Además, son presentados como personas alegres, juerguistas, amantes de la fiesta y, en general, defensoras e incluso orgullosas de sus tradiciones.

b Lee de nuevo y toma nota de las ideas del texto con las que no estés de acuerdo.

c Coméntalas con tus compañeros. ¿Están de acuerdo contigo?

- Yo no estoy de acuerdo con la idea de que... porque...
- Pues yo sí estoy de acuerdo. Yo pienso que...
  Yo tampoco. A mí me parece que...

d ¿Puedes decir alguna otra idea polémica sobre los españoles? Piensa cómo la vas a expresar y dísela a tus compañeros para ver qué opinan ellos.

Repaso 3

LECCIONES

- **9** CIUDADES
- **10** SUCESOS Y BROMAS
- **11** EL FUTURO
- **12** INTERCULTURALIDAD

Juego de vocabulario

1
a Busca en las lecciones 9 a 12 y haz una lista de seis palabras o expresiones que te parezcan útiles y difíciles que quieras recordar.

b Muéstraselas a tu compañero y explícale las que no entienda. Comparad las dos listas y elegid las seis palabras o expresiones que consideréis más útiles.

c Dos parejas. Por turnos, una pareja dice una de esas palabras o expresiones y la otra tiene que imaginar y representar un pequeño diálogo incluyéndola. Si no lo hace correctamente, la primera pareja obtiene un punto. Gana la pareja que consiga más puntos.

2
a Asegúrate de que entiendes estas frases.

A ¿Dónde pasa sus vacaciones?

B ¿Suele necesitar a los demás para ocupar su tiempo libre?

C La sensación de no tener mucha gente a su alrededor le produce...

D El ruido de la ciudad, la oferta de servicios, el movimiento de personas...

E Imaginemos que un día está usted en el campo, nieva mucho y no puede volver a la ciudad, que es lo que había planeado. ¿Cómo reaccionaría?

F ¿Qué le produce el silencio, la falta de ruido?

G ¿Qué prefiere usted: encender la chimenea o apretar un botón para encender la calefacción?

b Lee este cuestionario (puedes usar el diccionario). Luego, complétalo con las frases del apartado a) y señala tus respuestas.

¿Es usted rural o urbano?

1. ....
   a) Con preocupación por mis obligaciones, y probablemente tomaría la decisión de no viajar en fechas arriesgadas desde un punto de vista climatológico.
   b) Telefonearía a mis familiares y a mi trabajo, y me quedaría calentito/-a viendo nevar y disfrutando del día.
   c) Decidiría ir a ese lugar solo en verano.

2. ....
   a) Soledad, desprotección, aislamiento.
   b) Depende de cuáles sean las personas que estén más cerca de mí.
   c) Tranquilidad, intimidad.

3. ....
   a) No, al contrario.
   b) Sí, la verdad es que siempre necesito a alguien o lo busco.
   c) No siempre.

4. ....
   a) Nada, no me afecta.
   b) Tranquilidad.
   c) Extrañeza, soledad.

5. ....
   a) Me pone nervioso/-a, me genera tensiones, no me gusta.
   b) Me da vida.
   c) Lo soporto más o menos bien, depende de las circunstancias.

6. ....
   a) Claramente, apretar el botón de la calefacción.
   b) Para mí no hay nada comparable a un buen fuego.
   c) Depende del tiempo, de las ganas que tenga de trabajar y limpiar, de la compañía...

7. ....
   a) Fuera de la población donde resido y en un lugar poco poblado.
   b) Más o menos en un medio parecido al del resto del año.
   c) En una zona típica de vacaciones, donde hay amigos y muchos veraneantes.

El País

c Dile al profesor que te dé las claves para hacer la valoración de tus respuestas.

d ¿Estás de acuerdo con los resultados que has obtenido? Díselo a tus compañeros.

3
a Elige una ciudad de tu país que tenga aspectos muy positivos y otros negativos. Escribe un texto sobre ella en el que:

- La describas y expreses tu opinión sobre ella.
- Menciones lo que más y lo que menos te gusta de ella; explica por qué.

b Intercámbialo con un compañero y explícale si estás o no de acuerdo con todo lo que ha escrito él.

c Comentad las medidas que tomaríais para solucionar los problemas citados en los dos textos.

Reconstrucción de una anécdota en grupos

4 **a** En cinco grupos (A, B, C, D, E). El profesor va a entregar a cada grupo un texto en el que se narra una parte de una anécdota. Leedla, aseguraos de que entendéis todo y de que podéis contarla sin leerla.

b Formad nuevos grupos de cinco alumnos, cada uno de ellos procedente de un grupo distinto (A, B, C, D, E). Contad cada uno lo que habéis leído y decidid, entre todos, cuál es el orden de las distintas partes de la anécdota.

c Leed la anécdota completa (os la dará el profesor) y comprobad si la habéis ordenado correctamente.

5 **a** Vuelve a leer la anécdota de la actividad anterior y cambia dos informaciones.

b Cuéntasela a un compañero para ver si descubre los dos cambios que has hecho.

> Recuerdo perfectamente...

6 **a** Elige un suceso, una anécdota o una broma de las que aparecen en la lección 10 y escribe algunas palabras clave para contarla.

b Pásaselas a tu compañero para ver si recuerda esa historia y si es capaz de contarla. Si lo consideras necesario, puedes hacerle preguntas, darle pistas o ayudarle.

7 **a** En parejas. Pensad en los intereses, inquietudes, sueños, objetivos profesionales, etc. de vuestro profesor y escribid hipótesis sobre su futuro personal.

> Lo más probable es que el año que viene trabaje en otro país.

b Decídselas a él o ella y aplicad este sistema de puntuación para averiguar cuál es la pareja ganadora.

- Hipótesis acertada y expresada correctamente: 3 puntos.
- Hipótesis no acertada, pero expresada correctamente: 2 puntos.
- Hipótesis acertada, pero expresada incorrectamente: 1 punto.
- Hipótesis no acertada y expresada incorrectamente: 0 puntos.

8 **Escucha a dos estudiantes latinoamericanos, Mario y Rosa, comentando sus impresiones sobre España. ¿A cuáles de las siguientes fotografías corresponde la imagen que tenían de España? ¿Y a cuáles la impresión actual?**

a

2|26

b **Escucha de nuevo y completa el cuadro.**

2|27

	Mario	Rosa
1. ¿Cuánto tiempo lleva en España?		
2. ¿Qué le resulta curioso o le llama la atención?		
3. ¿Qué es lo que más le gusta?		
4. ¿Y lo que menos?		

9 **Piensa en un amigo o amiga (o un conocido) extranjero y en algunas costumbres suyas que tú no tienes. Luego, escribe frases expresando tu opinión sobre ellas.**

Me parece muy gracioso que mi amiga colombiana Leticia…

10 En grupos de tres. Juega con una moneda y una ficha de color diferente a la de tus compañeros.

a
1. Por turnos. Tira la moneda y, si sale cara, avanza dos casillas; si sale cruz, avanza una.

2. Responde a la pregunta o habla del tema de la casilla en la que caigas.

SALIDA	1 ¿Hablas alguna otra lengua extranjera? ¿La aprendiste como el español?	2 ¿Crees que has conseguido los objetivos que tenías para este curso?	3 Algo de la clase de español que te ha encantado.	4 ¿Cómo te describirías como estudiante de español?	5 Algo que te ayuda mucho a aprender español.
11 ¿Cómo prefieres que te corrijan? ¿Por qué?	10 ¿Por qué son importantes la pronunciación y la entonación?	9 El curso o el año en el que aprendiste más español. Explica por qué.	8 Cualidades que aprecias en un buen estudiante.	7 ¿Qué es lo que te parece más difícil del español?	6 Describe una clase que te haya gustado mucho.
12 Lo que más te ha gustado de este libro.	13 ¿Has descubierto en este curso alguna estrategia de aprendizaje que no conocías y que aplicas ahora? ¿Cuál?	14 ¿A qué dedicas más tiempo de estudio: a la gramática o al vocabulario? ¿Por qué?	15 Algo que te sorprende de la clase de español.	16 ¿Qué es lo que más necesitas repasar?	17 Algo que no has hecho nunca en una clase de idiomas y que te gustaría hacer.
23 ¿Qué te parece este juego? ¿Para qué crees que es útil?	22 ¿Qué es lo que te parece más fácil de la lengua española?	21 Algo de la clase de español que crees que se puede mejorar.	20 ¿Te parecen difíciles la pronunciación y la entonación en español?	19 Lo que más te ha gustado de este curso. ¿Y lo que menos?	18 La forma ideal de aprender una lengua.
24 Algo de la clase de español que te parece interesante.	25 Cualidades que aprecias en un buen profesor.	26 ¿Qué haces para mejorar la pronunciación, el acento y la entonación?	27 Algo que hacen los buenos estudiantes y que tú no haces. ¿Por qué no lo haces?	28 Tus planes y algún deseo para el próximo curso.	LLEGADA

b ¿Han dicho tus compañeros algo que te parece interesante? ¿Han mencionado algunas estrategias de aprendizaje que tú no aplicas y que te parecen útiles? Anótalas.

c Trabaja con un compañero con el que no hayas trabajado en a). Comparad las ideas que hayáis anotado y comentadlas.

Una salida para celebrar el final del curso

11 ¿Te apetece celebrar el final del curso? Mira las siguientes propuestas:

a

En grupos de cuatro. Decidid lo siguiente:

- El día y la hora a la que va a salir toda la clase.
- La actividad que os gustaría realizar (un espectáculo, una cena, bailar, una visita, etc.).
- Dónde os gustaría realizarla.
- Cuánto dinero va a costar.

b Hablad con vuestros compañeros y elegid la propuesta más interesante.

c No olvidéis hablar español en esa salida para practicar y comprobar lo que habéis aprendido durante el curso.

Resumen gramatical

1 Verbos

1.1. Pretérito indefinido

1.1.1. Verbos regulares

-AR		-ER/-IR	
hablar		volver/salir	
habl-	-é	volv- sal-	-í
	-aste		-iste
	-ó		-ió
	-amos		-imos
	-asteis		-isteis
	-aron		-ieron

1.1.2. Verbos irregulares

1.1.2.1. *Ser* e *ir*

fui
fuiste
fue
fuimos
fuisteis
fueron

1.1.2.2. Verbos de uso frecuente con raíz y terminaciones irregulares

INFINITIVO	RAÍZ	TERMINACIONES
tener estar poder poner saber andar hacer querer venir	tuv- estuv- pud- pus- sup- anduv- hic-/hiz- quis- vin-	-e -iste -o -imos -isteis -ieron

INFINITIVO	RAÍZ	TERMINACIONES
decir traer	dij- traj-	-e -iste -o -imos -isteis -eron

Otros verbos de uso frecuente pertenecientes a este último grupo: *atraer, distraer, conducir, traducir, deducir.*

1.1.2.3. *o → u* en la 3.ª persona

DORMIR	MORIR
dormí	morí
dormiste	moriste
durmió	murió
dormimos	morimos
dormisteis	moristeis
durmieron	murieron

1.1.2.4. *e → i* en la 3.ª persona de los verbos en *e...ir* (excepto *decir*)

PEDIR
pedí
pediste
pidió
pedimos
pedisteis
pidieron

Otros verbos de uso frecuente con esta irregularidad: *repetir, servir, seguir, sentir(se), divertirse, preferir, elegir.*

1.1.2.5. *y* en la 3.ª persona de la mayoría de los verbos terminados en vocal + *er/ir*

LEER	OÍR
leí	oí
leíste	oíste
leyó	oyó
leímos	oímos
leísteis	oísteis
leyeron	oyeron

Otros verbos de uso frecuente con esta irregularidad: *creer, influir, construir, destruir, huir.*

1.1.2.6. *Dar*

DAR
di
diste
dio
dimos
disteis
dieron

1.2. Pretérito imperfecto

1.2.1. Verbos regulares

HABLAR	HACER	VIVIR
hablaba	hacía	vivía
hablabas	hacías	vivías
hablaba	hacía	vivía
hablábamos	hacíamos	vivíamos
hablabais	hacíais	vivíais
hablaban	hacían	vivían

1.2.2. Verbos irregulares

SER	IR	VER
era	iba	veía
eras	ibas	veías
era	iba	veía
éramos	íbamos	veíamos
erais	ibais	veíais
eran	iban	veían

1.3. Pretérito pluscuamperfecto

Imperfecto de *haber* + participio	
había	
habías	llegado conocido venido escrito ...
había	
habíamos	
habíais	
habían	

1.4. Presente de subjuntivo

1.4.1. Verbos regulares

-AR	-ER	-IR
HABLAR	COMER	ESCRIBIR
hable	coma	escriba
hables	comas	escribas
hable	coma	escriba
hablemos	comamos	escribamos
habléis	comáis	escribáis
hablen	coman	escriban

1.4.2. Verbos irregulares

1.4.2.1. Irregularidades vocálicas

1.4.2.1.1. Alteraciones que afectan a las tres personas del singular y la 3.ª del plural

e → ie	o → ue	u → ue
QUERER	PODER	JUGAR
quiera	pueda	juegue
quieras	puedas	juegues
quiera	pueda	juegue
queramos	podamos	juguemos
queráis	podáis	juguéis
quieran	puedan	jueguen

1.4.2.1.2. Alteraciones que afectan a todas las personas (singular y plural)

e → i	y (verbos en -uir)
PEDIR	INFLUIR
pida	influya
pidas	influyas
pida	influya
pidamos	influyamos
pidáis	influyáis
pidan	influyan

1.4.2.1.3. i en la 1.ª y 2.ª personas del plural de los verbos en -e... ir que diptongan (e → ie)

SENTIR	PREFERIR	MENTIR
sienta	prefiera	mienta
sientas	prefieras	mientas
sienta	prefiera	mienta
sintamos	prefiramos	mintamos
sintáis	prefiráis	mintáis
sientan	prefieran	mientan

1.4.2.1.4. u en la 1.ª y 2.ª personas del plural de los verbos en -o... ir que diptongan (o →ue)

DORMIR	MORIR
duerma	muera
duermas	mueras
duerma	muera
durmamos	muramos
durmáis	muráis
duerman	mueran

1.4.2.2. Irregularidades consonánticas y/o vocálicas

Los verbos con 1.ª persona del singular irregular en presente de indicativo forman todo su presente de subjuntivo a partir de esa irregularidad. Ejemplos:

Presente de indicativo (yo)	Presente de subjuntivo
conozco	conozca, conozcas, conozca, conozcamos, conozcáis, conozcan
hago	haga, hagas, haga, hagamos, hagáis, hagan
tengo	tenga, tengas, tenga, tengamos, tengáis, tengan
salgo	salga, salgas, salga, salgamos, salgáis, salgan
pongo	ponga, pongas, ponga, pongamos, pongáis, pongan
digo	diga, digas, diga, digamos, digáis, digan
quepo	quepa, quepas, quepa, quepamos, quepáis, quepan
veo	vea, veas, vea, veamos, veáis, vean
oigo	oiga, oigas, oiga, oigamos, oigáis, oigan

Pero no sucede eso con el verbo dar.

DAR
dé
des
dé
demos
deis
den

1.4.2.3. Verbos con irregularidad propia en este tiempo

HABER	IR	SER	SABER	ESTAR
haya	vaya	sea	sepa	esté
hayas	vayas	seas	sepas	estés
haya	vaya	sea	sepa	esté
hayamos	vayamos	seamos	sepamos	estemos
hayáis	vayáis	seáis	sepáis	estéis
hayan	vayan	sean	sepan	estén

1.5. Imperativo

1.5.1. Imperativo afirmativo

DESCANSAR	COMER	VIVIR	
descansa	come	vive	(tú)
descanse	coma	viva	(usted)
descansemos	comamos	vivamos	(nosotros/nosotras)
descansad	comed	vivid	(vosotros/vosotras)
descansen	coman	vivan	(ustedes)

Formas irregulares exclusivas del imperativo (2.ª persona singular, *tú*)

hacer...........	**haz**
decir..........	**di**
ir................	**ve**
ser.............	**sé**
venir..........	**ven**
poner..........	**pon**
salir...........	**sal**
tener..........	**ten**

- **Haz** más deporte, duerme más y come menos.

1.5.1.1. Cuando combinamos pronombres complemento con formas del imperativo afirmativo, los pronombres van siempre detrás del imperativo, formando una sola palabra.

- **Siéntese** en esta silla y **relájese**.
- **Háganse** revisiones médicas más a menudo.

La forma correspondiente a *vosotros/-as* (*acostad*, por ejemplo) pierde la *d* cuando añadimos el pronombre *os*. A veces se usa el infinitivo.

- **Acostaos/acostaros** e intentad descansar.
- Cerrad los ojos y **relajaos/relajaros**.

1.5.2. Imperativo negativo

Las formas del imperativo negativo son las mismas que las del presente de subjuntivo.

- **No hagan** ruido, por favor, que hay gente durmiendo.

1.5.2.1. Cuando utilizamos pronombres complemento con formas del imperativo negativo, aquellos van entre el adverbio *no* y la forma del imperativo.

- **No se acueste** tan tarde, que luego duerme muy poco.

1.6. Futuro simple

1.6.1. Verbos regulares

TRABAJAR	SER	VIVIR
trabajaré	seré	viviré
trabajarás	serás	vivirás
trabajará	será	vivirá
trabajaremos	seremos	viviremos
trabajaréis	seréis	viviréis
trabajarán	serán	vivirán

1.6.2. Verbos irregulares de uso frecuente

TENER	tendr-	
PODER	podr-	
PONER	pondr-	
HABER	habr-	-é
SABER	sabr-	-ás
CABER	cabr-	-á
SALIR	saldr-	-emos
VENIR	vendr-	-éis
HACER	har-	-án
DECIR	dir-	
QUERER	querr-	

Usos:
- Para hacer predicciones sobre el futuro.
  - En la segunda mitad del siglo XXI **habrá** bases en la Luna y algunos científicos **vivirán** en ellas.
- Para expresar las consecuencias de determinadas condiciones (ver apartado 6).
  - Si abres un paraguas dentro de casa, **tendrás** mala suerte.
- Para expresar probabilidad.
  - ¿Cuál es el lugar más seco del planeta?
  - No sé, **será** el desierto de Atacama.

1.7. Condicional simple

1.7.1. Verbos regulares

Se forman, como en el futuro simple, añadiendo la terminación propia de cada persona al infinitivo del verbo.

HABLAR	DEBER	IR
hablaría	debería	iría
hablarías	deberías	irías
hablaría	debería	iría
hablaríamos	deberíamos	iríamos
hablaríais	deberíais	iríais
hablarían	deberían	irían

1.7.2. Verbos irregulares

Son los mismos que en el futuro simple y tienen la misma irregularidad en la raíz.

tener → tendr- poder → podr- poner → pondr- haber → habr- saber → sabr- caber → cabr- salir → saldr- venir → vendr- hacer → har- decir → dir- querer → querr-	-ía -ías -ía -íamos -íais -ían

2 Hablar del pasado

2.1. Pretérito indefinido

2.1.1. Para informar de acciones o sucesos pasados ocurridos en una unidad de tiempo terminada.
- Ayer **fui** al cine y **vi** una película buenísima.

2.1.1.1. Podemos expresar una acción que ocurrió una sola vez.
- Un día **representamos** una obra de teatro en clase.

2.1.1.2. También podemos expresar una acción que se realizó varias veces y especificar el número de veces.
- El año pasado **fui cinco veces** a México.

2.1.1.3. El indefinido sirve también para especificar la duración de una actividad pasada.
- El viaje **duró más de tres horas**: salimos a las cuatro y llegamos después de las siete.

2.2. Pretérito imperfecto

2.2.1. Para describir cosas, lugares o personas en pasado.
- Antes este pueblo **era** más pequeño y mucho más tranquilo: no **había** tantos coches ni tanto ruido como ahora.
- Cuando **era** pequeño, **era** bastante rubio.

2.2.2. Para expresar acciones habituales en el pasado.
- Cuando vivía en Brasil **iba** muchos días a la playa.

Para referirnos a acciones habituales también podemos emplear el imperfecto de *soler* + infinitivo.

- Cuando era estudiante **solía acostarme** tarde.

2.2.3. Para expresar dos acciones pasadas que se desarrollan simultáneamente.

- Mientras Pepe **hablaba** por teléfono, Olga **navegaba** por internet.
- Mientras ella **se estaba duchando**, él **estaba preparando** el desayuno.

2.3. Contraste imperfecto-indefinido

2.3.1. Describir la situación o las circunstancias en las que se produjeron ciertos hechos pasados.

- Ayer **nos encontramos** a Laura en la calle cuando **volvíamos** a casa.
  Imperfecto (**volvíamos**): referencia a las circunstancias, a la situación.
  Indefinido (**nos encontramos**): referencia a los hechos o acontecimientos.

- Es frecuente el uso del imperfecto de *estar* + gerundio para referirse a una acción en desarrollo.
- **Estábamos comiendo** cuando **llegaron**.

- En los ejemplos anteriores, el imperfecto sirve para expresar una acción que se estaba realizando en cierto momento del pasado; eso significa que la acción había comenzado antes y siguió realizándose después; en ese momento la acción no había terminado.

- **Estábamos comiendo** cuando **llegaron**.

PASADO comer   **PRESENTE**   (Llegaron durante la comida)

llegar

2.3.2. Podemos utilizar el indefinido para narrar hechos pasados o referirnos a una sucesión de acciones pasadas terminadas: primero tuvo lugar una, y después, otra.

- **Comimos** cuando **llegaron**.

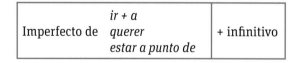

PASADO   **PRESENTE**   (Llegaron antes de la comida)

llegaron   comimos

2.3.3. Para referirnos a una acción inminente que no llegó a realizarse en el momento del que hablamos, podemos utilizar:

Imperfecto de	*ir + a* *querer* *estar a punto de*	+ infinitivo

- Cuando **estaba a punto de salir**, vino Blanca y, entonces, me contó todo.
- **Íbamos a ir** en mi coche, pero a última hora se estropeó y tomamos el tren.

2.4. Contraste perfecto-indefinido

2.4.1. Pretérito perfecto

2.4.1.1. Para expresar experiencias o actividades pasadas sin especificar el momento de su realización.

- Lorena **ha estado** en Perú, pero yo no.

2.4.1.2. Para hablar de acciones o sucesos pasados situados en una unidad de tiempo no terminada, o que el hablante siente próximos al presente.

- Hoy **me he levantado** muy pronto.
- Este verano **he descansado** mucho.

Sin embargo, en estos casos, muchos hispanohablantes utilizan el pretérito indefinido.

- Hoy **me levanté** muy pronto.

2.4.2. Pretérito indefinido

Para expresar acciones o sucesos pasados ocurridos en una unidad de tiempo terminada.

- La semana pasada **trabajé** muchísimo.

2.5. Pretérito pluscuamperfecto

Para expresar una acción pasada, anterior a otra acción (o a una situación) pasada.

- Cuando hablé anoche con Paula estaba muy triste porque ya **se había enterado** de la noticia.

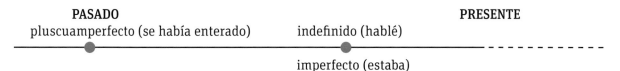

| PASADO | | PRESENTE |
pluscuamperfecto (se había enterado) ... indefinido (hablé) ... imperfecto (estaba)

3 Cantidades de tiempo

Para expresar la duración de una acción comenzada en el pasado y que continúa en el presente, podemos utilizar:

3.1.

| *Llevar* (presente) + cantidad de tiempo + gerundio |

- ¿Cuánto (tiempo) **llevas estudiando** ruso?
- ■ **(Llevo)** Tres años (**estudiando** ruso).

3.2.

| *Desde* + | fecha/año/mes/...
 hace + cantidad de tiempo
 que + verbo conjugado |

- ¿**Desde** cuándo estudias alemán?
- ■ **Desde** el año 2011.
- ■ **Desde** enero.
- ■ **Desde hace** dos años.
- ■ **Desde que** vivo aquí.

3.3.

| *Hace* + cantidad de tiempo + *que* + verbo en presente |

- ¿Cuánto (tiempo) **hace que** estudias japonés?
- ■ **(Hace)** Cuatro años (**que** estudio japonés).

4 Oraciones temporales: acciones pasadas

4.1. Anterioridad

- *Antes de* + infinitivo

Habitualmente usamos *antes de* + infinitivo cuando el sujeto de las dos oraciones es el mismo.

- Hice la comida **antes de ducharme**.
  (yo)   (yo)

Cuando el sujeto es diferente, añadimos el sujeto al infinitivo.

- Hice la comida **antes de ducharse Marta**.

- *Cuando*

- **Cuando terminamos el trabajo**, nos fuimos.
  (Primero terminamos el trabajo y luego nos fuimos.)

4.2. Posterioridad

- *Después de* + infinitivo

  Si el sujeto de las dos oraciones es el mismo, empleamos *después de* + infinitivo.
  - Se acostó **después de hacer los deberes.**

    (él)   (él)

  Si el sujeto es diferente, añadimos el sujeto al infinitivo.
  - Se acostó **después de hacer los deberes yo.**

    (él)   (yo)

4.3. Simultaneidad

- Para expresar que una acción ocurre en el mismo momento que otra, podemos usar *cuando* o *al* + infinitivo.
  - Me equivoqué **cuando dije eso.**
  - Me equivoqué **al decir eso.** = Me equivoqué **cuando dije eso.**
  - Me encontré con ellos **al salir** de casa. = Me encontré con ellos **cuando salía** de casa.
- Para expresar que una acción se desarrolla al mismo tiempo que otra, podemos usar *mientras*.
  - **Mientras** yo estudiaba, él hablaba por teléfono con un amigo.

4.4. Límite de una acción

Para fijar el límite de una acción podemos utilizar *hasta que*.
  - Estuvimos en la terraza **hasta que llegó Julio.**
  - Estuve estudiando **hasta que me acosté.**

5 Expresar habilidad

Para expresar habilidad para hacer algo, podemos emplear:

Ser	*bueno/-a* *malo/-a*	*para* *en*	+ sustantivo

- Yo **soy** bastante **mala para la música.**
- No **soy** muy **bueno en los juegos de mesa.**
- Tú **eres** muy **buena en inglés**, lo aprendes muy fácilmente.

6 Condiciones y sus consecuencias

Para expresar condiciones y las consecuencias que tendrán en el futuro, podemos utilizar esta construcción:

(Condición)   (Consecuencia)

Si + presente de indicativo, + futuro simple
  - **Si vives** un tiempo en España, **aprenderás** mucho español.

7 El superlativo relativo

Sirve para comparar la cualidad de un elemento con la de otros. Podemos usar, entre otras, estas estructuras:

el la ...	+ sustantivo	más menos	+ adjetivo	ø de de todos/-as que conozco que he visto
uno de los una de las ...				

- El país más grande del mundo.
- Uno de los lugares más bonitos que he visto.

el la ...	+ sustantivo	que	+ verbo	más menos	+ sustantivo
uno de los una de las ...					

- Es la ciudad europea que tiene más bares.
- Colombia es uno de los países latinoamericanos que tiene más habitantes.

8 ¿Qué?-¿Cuál/cuáles?

Para preguntar por la identidad de personas, lugares o cosas de una misma clase, podemos emplear:

8.1. ¿Qué + sustantivo + verbo?

- ¿Qué camisa prefieres?

8.2. ¿Cuál/cuáles + verbo?

- ¿Cuál prefieres? (de estas camisas)
- ¿Cuál es el país más grande del mundo?

8.2.1.

- ¿Cuál de ellas prefieres?
- ¿Cuál de estos ríos es más largo: el Amazonas o el Orinoco?

Observaciones:

Cuál/cuáles no va seguido de un sustantivo.

          Qué
- ¿~~Cuál~~ ciudad tiene más habitantes: Montevideo o La Habana?

9 Interrogativos con preposición

Cuando combinamos una preposición con un interrogativo, la preposición va siempre al principio de la pregunta.

- ¿En qué país está Caracas?
- ¿En cuál de estos países está Acapulco: en Argentina o en México?
- ¿De dónde es Isabel Allende?
- ¿Por qué países pasa el río Amazonas?

10 Relativos: *que-quien/quienes*

Usamos *que*, *quien* o *quienes* para conectar una frase con un sustantivo mencionado anteriormente. En ella damos información sobre personas, lugares o cosas nombradas con ese sustantivo.

Esa información puede servir para definir al sustantivo al que se refiere.

- • Un amigo es **una persona que me acepta como soy.**
- • Un amigo es **una persona en quien confío totalmente.**

O puede servir para identificar al sustantivo al que se refiere.

- • ¿Quién es tu novio?
- ▪ **El chico que está bebiendo algo.**

- • ¿Cuál es tu casa?
- ▪ **La (casa) que está a la derecha del quiosco.** (Cuando está claro por el contexto, se puede omitir el sustantivo al que se refiere el relativo).

- • *Que*

Empleamos *que* para referirnos a personas, lugares o cosas.

- • Un amigo es **una persona que** me ayuda cuando lo necesito.
- • Es **un objeto que** sirve para escribir y pintar.
- ▪ ¿Es un lápiz?
- • Sí.

- • *Quien* (singular), *quienes* (plural)

Quien y *quienes* sirven para referirse solamente a personas. Van después de una preposición y concuerdan en número con el antecedente.

- • Un amigo es **una persona con quien** compartes los momentos buenos y los momentos malos.
- • Estos son **los compañeros de quienes** te he hablado muchas veces.

Observa:

- • Juana es una compañera ~~quien~~ me conoce muy bien. (Juana es una compañera **que** me conoce muy bien.)

11 Verbos recíprocos

Un verbo recíproco sirve para expresar una acción que dos o más personas realizan y reciben mutuamente.

- • Julia y Víctor **se conocieron** hace dos años.
  (Julia conoció a Víctor, y Víctor conoció a Julia, hace dos años.)

Pronombres utilizados:

(nosotros/nosotras)	nos
(vosotros/vosotras)	os
(ellos/ellas/ustedes)	se

- • Nosotros **nos conocimos** el año pasado.
- • Vosotros **os conocisteis** en Sevilla, ¿no?
- • Ustedes **se conocieron** en Bogotá, ¿verdad?
- • Sofía y Elsa **se conocieron** en el colegio.

12 La causa: *porque-como*

Para expresar la causa de algo podemos utilizar:

12.1. *Porque*

Información + *porque* + causa

- • Me acosté pronto **porque** estaba cansado.

12.2. *Como*

Como + causa, + información

- • **Como** estaba cansado, me acosté pronto.

Observaciones:

Las oraciones introducidas por *como* van al principio.

- • ~~No pude llamarte como no tenía tu número de teléfono.~~
- • **Como** no tenía tu número de teléfono, no pude llamarte.

13 *Dentro de, a los/las*

13.1. *Dentro de* + **cantidad de tiempo**

Para fijar un momento o una fecha en el futuro con respecto al presente.

- Terminaré este trabajo **dentro de dos semanas** aproximadamente.

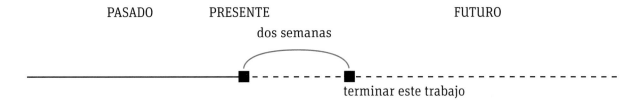

13.2. *A los/las/la*, *al* + **cantidad de tiempo**

Para fijar un momento o una fecha en el pasado con respecto a un momento o una fecha anterior.

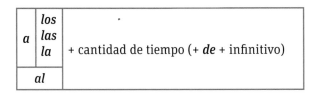

- Entró a trabajar en Ibertrén en 2007 y **a los cuatro años** la despidieron. (= La despidieron cuatro años después.)
- La despidieron **a los cuatro años de entrar** en Ibertrén. (= La despidieron cuatro años después de entrar en Ibertrén.)

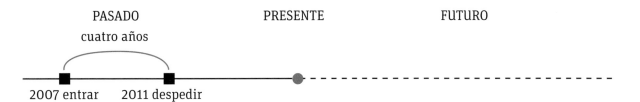

14 Cuantificadores. Indefinidos: *alguien, nadie, algo, nada, algún, alguno(s), alguna(s), ningún, ninguno(s), ninguna(s)*

14.1. *Alguien, nadie, algo* y *nada* son formas invariables. Su concordancia con otras palabras se hace en masculino singular. *Alguien* y *algo son afirmativas*, y *nadie* y *nada son negativas*.

- **Nadie está contento** con eso.
- ¿**Alguien está enfadado** conmigo?
- Acabo de leer **algo** muy **gracioso**.

• Usamos *alguien* y *nadie* para hablar de personas de identidad indefinida sin especificar ningún grupo.

- ¿Has estado con **alguien** esta mañana? (Puede ser uno o varios hombres, una o varias mujeres, uno o varios niños, etc.).
- Ha llamado **alguien** preguntando por ti, pero no sé quién era, no ha dicho su nombre.

• Utilizamos *algo* y *nada* para hablar de cosas de identidad indefinida sin especificar ningún grupo.

- ¿Has comprado **algo** en el supermercado? (Puede ser fruta, verdura, pescado, carne, etc.).
- Hoy he comido **algo** muy rico.

14.2. *Algún, alguno(s), alguna(s), ningún, ninguno(s), ninguna(s)*

Usamos esas formas para referirnos a los componentes de un grupo (pueden ser cosas o personas). Concuerdan en género y número con el sustantivo.

- *Algún, alguno(s)* y *alguna(s)* son formas afirmativas. Con ellas nos referimos a uno o varios componentes de un grupo, pero no especificamos cuántos ni cuáles son.
  - Yo he ganado **algún** premio, pero no muchos.
  - Cuando era estudiante tuve **alguna** beca.
- *Ningún, ninguno(s)* y *ninguna(s)* son formas negativas.
  - Últimamente no he conocido a **ninguna** persona interesante.

  - Yo no he dejado **ningún** trabajo.
  - Yo sí; hace años dejé uno que no me gustaba nada.

Observaciones:

- Las formas masculinas *alguno* y *ninguno* se reducen a *algún* y *ningún* cuando van antes de un sustantivo.
  - ¿Has hecho **algún** intercambio de estudios?
  - ¿Tienes **algún** amigo colombiano?
  - Últimamente no he leído **ningún** libro interesante.
- Los indefinidos del apartado 14.2 se pueden utilizar con el sustantivo al que se refieren, o sin sustantivo cuando ya se sabe de qué o de quién hablamos.
  - ¿Tú has tenido **algún novio** español?
  - No, no he tenido **ninguno**.

  - Pues yo no he visto **ninguna película** de Almodóvar.
  - Yo sí; yo he visto **alguna**.
- Las formas negativas plurales *ningunos* y *ningunas* las utilizamos muy poco, solamente con ciertos sustantivos que generalmente no decimos en singular (*gafas, pantalones, prácticas de trabajo*, etc.).
  - No he encontrado **ningunos pantalones** como los que busco.
  - Aquí no hay **ningunas gafas de sol**, seguro que las has dejado en otro sitio.

  Con todos los demás sustantivos usamos las formas singulares *ninguno* (o *ningún*) y *ninguna*.
  - Este mes no he visto **ninguna película** buena. He visto varias, pero **ninguna** me ha parecido interesante.
  - Ayer no pude quedar con **ningún amigo** porque se han ido todos de vacaciones fuera.
- Observa cómo podemos utilizar los indefinidos negativos con función de sujeto:

ANTES DEL VERBO	DESPUÉS DEL VERBO
Nadie me llama. **Ningún** alumno ha suspendido.	No me llama **nadie**. (~~Me llama nadie.~~) No ha suspendido **ningún** alumno. (~~Ha suspendido ningún alumno.~~) (El adverbio *no* va antes del verbo.)

15 Cuantificadores con adjetivos

15.1. *Demasiado, muy...*

Para cuantificar el significado de los adjetivos podemos emplear:

+ ↓ ↓ **-**	demasiado muy bastante más bien (un) poco algo nada	- Yo creo que soy **muy** sensible, **bastante** cariñosa, pero **algo** insegura y **demasiado** tímida. - Yo también soy **muy** sensible, pero **no** soy **nada** tímido.

15.2. *Poco - un poco*

Solemos utilizar *poco* con adjetivos que tienen sentido positivo.

- Mi vecino es muy **poco divertido**.

En cambio, usamos *un poco* con adjetivos que expresan cualidades negativas.

- Mi vecino es **un poco impaciente**.

15.3. *Un/-os, una(s)*

También podemos combinar adjetivos de sentido negativo con artículos indeterminados.

un/-os *una(s)*	+ adjetivo

- Mi vecino es **un irresponsable**.
- Mis compañeras son **unas miedosas**.

16 Sentimientos y cambios de estado de ánimo

16.1. Alegría y satisfacción

16.1.1. Para expresar alegría y satisfacción podemos emplear estas frases exclamativas:

- ¡Estupendo!/¡Fantástico!/¡Perfecto!
- ¡Qué bien!
- ¡Qué alegría!

16.1.2. Con estas construcciones expresamos el motivo de nuestra alegría.

¡Cuánto *¡Cómo*	*me alegro* (+ *de* + infinitivo)*!*

- **¡Cuánto me alegro de verte!**
  (yo)   (yo)   (La misma persona: infinitivo)
- **Yo también me alegro mucho de verte.**

- **¡Cómo nos alegramos de estar** con usted!

Me alegro de que + subjuntivo

- **Me alegro de que estés** bien.
  (yo)   (tú)   (Diferentes personas: presente de subjuntivo)

16.2. Tristeza o pena

16.2.1. Podemos expresar tristeza o pena con esta construcción:

Es una pena/lástima + (*no*) + infinitivo

- **Es una pena no poder** hablar con ella.
- **Sí, es una lástima.**

O con estas frases exclamativas:

- ¡Qué pena!
- ¡Qué lástima!
- ¡Cuánto/cómo lo siento!

  - ¿Has aprobado el examen de inglés?
  - No.
  - ¡Vaya! **¡Cómo lo siento!**

16.2.2. También podemos expresar el motivo de nuestra tristeza o pena.

Siento		
Me da	*pena* *lástima*	+ *que* + subjuntivo

- **Siento** mucho **que estés** mal.
- **Me da pena que pasen** estas cosas.

16.3. Sorpresa

16.3.1. Con frases exclamativas. En una situación no esperada o ante algo no esperado.

- ¡Qué sorpresa!
- ¡Qué raro/extraño!
- ¡Es increíble!
- ¡No me lo puedo creer!
- ¡(Hombre, Luis) Tú por aquí!

16.3.2. Con frases interrogativas.

- ¿De verdad?
- ¿En serio?
- ¡Ah!, pero ¿(ya) os conocéis?
- ¡Ah!, pero ¿ustedes se conocen (ya)?

16.3.3. También podemos emplear estas construcciones:

(A mí)	me		
(A ti)	te		
(A él/ella/usted)	le	*sorprende*	
(A nosotros/nosotras)	nos	*extraña* *llama la atención*	*+ que* + subjuntivo
(A vosotros/vosotras)	os		
(A ellos/ellas/ustedes)	les		

- ¿No **te sorprende que** las comidas **sean** tan tarde?
- **A mí me llama** mucho **la atención que haya** tantas fuentes en esta ciudad.

Fíjate:

- Me sorprende oír eso.
  (a mí)   (yo)   (La misma persona: infinitivo)
- Me sorprende que digas eso.
  (a mí)   (tú)   (Diferentes personas: subjuntivo)

16.4. Enfado

Me enfado	cuando si	+ indicativo

- **Me enfado cuando hablo** y no me **prestan** atención.

Me molesta No soporto	+ sustantivo singular + infinitivo *+ que* + subjuntivo

- **Me molesta el humo** del tabaco.
- **Me molesta respirar** el humo del tabaco.
- **No soporto que** me **echen** el humo a la cara.

16.5. Miedo y preocupación

Para expresar miedo y preocupación podemos emplear estas frases y construcciones:

¡Qué miedo!		
Tengo miedo	*a* *de*	+ sustantivo
		+ infinitivo
		+ que + subjuntivo

- De pequeño **tenía miedo a los fantasmas.**
- **Tengo miedo a volar.**
- **Tengo miedo de que pierdas** todo.

También podemos emplear estas construcciones:

Me da miedo *Me preocupa*	+ sustantivo singular + infinitivo + *que* + subjuntivo

- **Me da miedo la velocidad.**
- **Me da miedo correr** demasiado.
- **Me da miedo que corras** demasiado.

16.6. Nerviosismo

Para expresar nerviosismo podemos usar estas estructuras con el verbo *ponerse* (reflexivo):

Me pongo nervioso/-a	*cuando* *si*	+ indicativo
	al	+ infinitivo

- **Me pongo muy nervioso cuando** no **funciona** el ordenador.
- Mi hermana **se pone muy nerviosa si** no **funciona** el ordenador.
- **Me pongo muy nervioso al ver** eso.

Verbo reflexivo, con pronombre reflexivo

16.7. Vergüenza

Es frecuente el uso de la frase exclamativa *¡Qué vergüenza!*

Para expresar el motivo de la vergüenza que sentimos, podemos emplear estas construcciones:

Me da vergüenza	+ infinitivo + *que* + subjuntivo

- **Me da mucha vergüenza hablar** en público.
- **Me da vergüenza que** me **digan** cosas así.

Fíjate en estas formas de expresar sentimientos y cambios de estado de ánimo:

(A mí)	me	*da miedo/pena/lástima/vergüenza/...* *pone nervioso/-a* *preocupa* *molesta*	+ sustantivo singular + infinitivo + *que* + subjuntivo
(A ti)	te		
(A él/ella/usted)	le		
(A nosotros/nosotras)	nos		
(A vosotros/vosotras)	os		
(A ellos/ellas/ustedes)	les		

- **¿A ti te da miedo la muerte?**
- Sí, muchísimo. ¿Y a ti?
- Pues **a mí no me da miedo pensar** en ella.

- **A mí me da pena que** mucha gente no **encuentre** trabajo.

Observaciones:

- Usamos el infinitivo cuando la persona que realiza la acción y la que experimenta el sentimiento son la misma.

  (sentimiento) (acción)
  - **Me preocupa suspender** el examen.
    (a mí)   (yo)

- Pero cuando son dos personas distintas, usamos el subjuntivo.

  - **Me preocupa que suspendas** el examen.
    (a mí)   (tú)

- Cuando expresamos la causa con un sustantivo plural, el verbo utilizado para expresar el sentimiento también va en plural.
  - **Me dan miedo los aviones.**

- También podemos emplear los verbos *poner*, *preocupar*, *molestar* y *enfadar* con pronombres reflexivos (*ponerse*, *preocuparse*, *molestarse* y *enfadarse*).

Me pongo nervioso *Me preocupo* *Me molesto* *Me enfado*	*cuando*	+ indicativo
	si	

- Yo **me pongo** un poquito **nervioso cuando no entiendo** lo que me dicen.
- Yo, en cambio, **me pongo** bastante **nerviosa si no puedo** decir lo que quiero decir.

17 Deseos y esperanza

17.1. Expresar deseos

Deseo *Quiero* *Espero* *Tengo ganas de*	+ *que* + presente de subjuntivo

- **Deseo que** todos **vivamos** cada vez mejor.
- **Tengo muchas ganas de que lleguen** las vacaciones.

¡Ojalá (que) + presente de subjuntivo*!*

- **¡Ojalá haya** trabajo para todos algún día!

Observa estas frases:
- **Deseo tener** más tiempo libre. (La misma persona: infinitivo)
  (yo) (yo)

- **Deseo que tengas** más tiempo libre. (Distintas personas: presente de subjuntivo)
  (yo)   (tú)

17.2. Formular buenos deseos en determinadas situaciones sociales

¡Que + presente de subjuntivo*!*

- **¡Que aproveche!** (antes de comer)
- **¡Que cumpla(s)** muchos años/más! (en un cumpleaños)
- **¡Que te/le vaya bien!** (en una despedida)
- **¡Que te mejores!** (a un enfermo)

18 Oraciones temporales: secuenciar acciones futuras

Para secuenciar acciones futuras podemos usar estas construcciones:

Cuando *En cuanto*	+ presente de subjuntivo, + futuro simple

- **En cuanto me saque** el carné de conducir, **me compraré** un coche. Luego, **cuando tenga** coche, **iré** a verte más a menudo.

También podemos emplear estas construcciones:

Futuro simple	*antes de* + *después de* *hasta*	*que*	+ presente de subjuntivo

- Creo que **volveré antes de que llegue** Paco.
- Te **esperaré hasta que vuelvas**.

Observa:

- Te llamaré | antes | de salir. (La misma persona: infinitivo)
  (yo) | después | (yo)

- Te llamaré | antes | de que salgas. (Diferentes personas: presente de subjuntivo)
  (yo) | después | (tú)

19 Consejos y recomendaciones

19.1. Pedir consejo

Cuando pedimos consejo para solucionar un problema, primero explicamos este y, luego, podemos decir:

- No sé qué hacer. ¿Tú qué harías?
- ¿Qué haría usted en mi lugar?
- ¿Qué me aconseja(s)?

19.2. Aconsejar

19.2.1. Con los verbos *aconsejar* y *recomendar*

Te		+ infinitivo
Le	*aconsejo*	
Os	*recomiendo*	
Les		+ *que* + presente de subjuntivo

- **Te aconsejo ir** al médico.
- **Te recomiendo que pienses** menos en el trabajo.

19.2.2. Con condicional

19.2.2.1.

Debería(s)	
Tendría(s) que	+ infinitivo
Podría(s)	

- **Deberías tomar** más fibra.
- **Tendrías que dormir** más horas.

19.2.2.2. Ponerse en el lugar del otro

Yo, en tu/su lugar,	
Yo que tú/usted,	+ condicional simple
Yo	

- **Yo, en tu lugar, cuidaría** la alimentación y **haría** ejercicio.
- **Yo que usted, saldría** más.
- **Yo cambiaría** de médico.

19.2.3. Con imperativo

Es frecuente el uso del imperativo para dar consejos y hacer recomendaciones en situaciones en las que existe un grado de confianza o familiaridad entre los hablantes.

- **Tómate** unos días libres y **descansa**.

Muchas veces añadimos una explicación que introducimos con la conjunción *que*, con valor causal.

- **Practique** la natación, **que** es un deporte muy completo.

19.3. Reaccionar ante un consejo

19.3.1. Aceptarlo

¡Ah! Pues, mira,	me parece una buena idea.
	voy a ver si (me) da resultado.

- No sé... haz yoga, apúntate a un cursillo de yoga, que seguro que te va muy bien.
- ¡Ah! Pues, mira, me parece una buena idea.

19.3.2. Rechazarlo

Si ya lo	hago,	pero sigo igual.
	he hecho,	
Si ya lo he intentado, pero (es que) no puedo.		
Es que...		

- Yo me acostaría antes y me levantaría temprano para hacer ejercicio antes de ir a trabajar.
- Si ya lo he intentado, pero es que no puedo.

20 Peticiones

20.1. Pedir un favor

¿Puedes ¿Podrías		+ infinitivo?
¿Te	importa importaría	

- ¿Te importaría enviarme, por favor, toda esa información por internet? Así podré verla más detalladamente.
- ¿Podrías echarle un vistazo al ordenador? Creo que tiene un virus.

20.2. Pedir objetos

¿Puedes ¿Podrías		darme...? dejarme...?
¿Te	importa importaría	prestarme...? pasarme...? traerme...?

- ¿Te importa dejarme ese libro un momento para mirar una cosa?
- ¿Podrías prestarme el portátil para el fin de semana? Quiero ir a estudiar con Silvia.

20.3. Pedir ayuda

¿Puedes ¿Podrías		+ *ayudarme* (*a* + infinitivo)?
¿Te	importa importaría	+ infinitivo?

- Susana, ¿podrías ayudarme a traducir esta carta, por favor? Es que tengo varias dudas.
- ¿Te importa ayudarme a instalar el nuevo programa de contabilidad? No se me da muy bien la informática.

20.4. Pedir permiso

¿Podría ¿Me dejas		+ infinitivo?
¿Te	molesta importa	*si* + presente de indicativo?

- ¿Te molesta si uso tu escáner un momento? Es para hacer una cosa muy rápida.
- ¿Me dejas copiar los archivos del proyecto de Salamanca? Es que quiero estudiarlos bien en casa.

20.5. Responder a una petición

20.5.1. Aceptar una petición

SIN OBJECIONES	CON OBJECIONES
Claro. Claro que sí. Claro que no.	Bueno, pero... Bueno, vale, pero...

- ¿Podría hacer una llamada desde tu mesa? Es que es urgente.
- Claro que sí.

- ¿Te importaría corregir este documento, por favor? Creo que tiene algunos errores.
- Claro que no. A ver...

- Marta, ¿me dejas usar tu portátil para ver unas cosas en internet, por favor?
- Bueno, pero rápido, porque lo voy a usar yo dentro de un rato.

20.5.2. Rechazar una petición

Lo siento, Perdona,	pero... es que... pero es que...

- Oye, ¿podrías ayudarme a ordenar un poco todo esto, por favor?
- ■ **Lo siento, pero** tengo una reunión dentro de cinco minutos.

Me encantaría,	pero... pero es que...

- ¿Puedes explicarme cómo funciona esta impresora?
- ■ **Me encantaría, pero es que** yo tampoco sé cómo funciona.

21 Transmitir palabras de otros

21.1. Pedir que se transmita un mensaje

21.1.1. Informaciones

Decir que + indicativo

- ¿Podrías decirle, por favor, **que** le **ha llamado** Araceli y **que llamará** más tarde?

21.1.2. Peticiones

Decir que + subjuntivo

- ¿Puede decirle, por favor, **que pase** por la agencia de viajes antes de las siete?
- Dígale, por favor, **que** me **llame** cuando vuelva, que necesito hablar con él.

21.2. Transmitir informaciones

A. Decir

- Ha llamado Juana y **ha dicho que** el mes que viene **va a ir** a Bolivia por cuestiones de trabajo.

B. Comentar

- He hablado con Miguel y me **ha comentado que está** muy contento en su nuevo trabajo.

C. (Decir/comentar) Que

- Ha llamado Raquel: **que se ha sacado** el carné de conducir y **que se va a comprar** un coche.

21.3. Transmitir preguntas

21.3.1. Con *si* (para preguntas cuya respuesta es "sí" o "no")

- Ha llamado Carmela. **Ha preguntado si** vas a ir a la piscina mañana.

21.3.2. Con interrogativos

- Pepa me **ha preguntado que cuándo** nos vamos a cambiar de casa.

Observaciones:

El uso de *que* con otras partículas interrogativas (*que si*, *que cuándo*, *que cómo*...) es más frecuente cuando hablamos que cuando escribimos.

21.4. Transmitir peticiones

Decir Pedir Querer	*que* + subjuntivo

- Ha llamado Rosa: **ha dicho que** la **esperes** en el restaurante.
- Ha llamado Ángela y me **ha pedido que** le **envíe** un fax con todos los datos.

22 Impersonalidad

22.1. *Se*

Para referirse a las personas en general, sin excluir a nadie.

Se + verbo en 3.ª persona singular

- **Se vive** mejor en una ciudad pequeña que en una grande.
- En esta empresa **se trabaja** mucho.

Se + verbo en 3.ª persona singular + infinitivo

Usamos esta construcción con verbos como *soler, poder, deber, querer, necesitar,* etc.

- En mi país **se suele cenar** mucho antes que en España.
- Perdone, pero aquí no **se puede fumar**. Lo siento.
- En una biblioteca no **se debe hablar** en voz alta.

Se + verbo en 3.ª persona singular o plural + sustantivo

Habitualmente usamos esta construcción pasiva con sentido impersonal. El verbo conjugado en 3.ª persona es transitivo: tiene objeto directo.

- En mi cultura, para expresar "sí", **se mueve la cabeza** así...
- Para expresar "no lo sé", **se levantan los hombros** y **se hace este gesto** con la cara...

22.2. *La gente, la mayoría de la gente, todo el mundo*

El hablante se refiere a las personas en general, pero se excluye a sí mismo y también excluye al interlocutor.

- Aquí **la gente** es muy amable.
- **Todo el mundo** está encantado con el nuevo director.

22.3. *Uno/una* + 3.ª persona del singular

El hablante pone énfasis en sí mismo, se implica en la acción.

- En una gran ciudad, **uno tiene** menos relación con la gente, **habla** menos con ella.

22.4. *Tú*

El hablante se refiere también a su interlocutor, quiere implicarle en la acción.

- En una ciudad **tienes** mucha más oferta cultural que en un pueblo.

22.5. 3.ª persona del plural

Para referirnos a las personas en general, excluyéndonos a nosotros mismos y al interlocutor.

- **Dicen** que el verano que viene hará mucho calor.

Observaciones:

- Con los verbos reflexivos, que ya llevan *se* en la 3.ª persona, no usamos *se* para expresar impersonalidad; en su lugar empleamos *la gente, uno/una* o *tú*.
  - Aquí | la gente / uno | **se acuesta** muy tarde. ~~Aquí se acuesta muy tarde~~.
  - Aquí **te acuestas** muy tarde.

- El uso de *uno/una* y *tú* es más frecuente en la lengua hablada que en la escrita.

23 Opiniones

23.1. Para expresar nuestras opiniones podemos utilizar las siguientes construcciones:

(Yo) Creo/pienso/opino *(A mí) Me parece*	*que*	+ indicativo
En mi opinión, *Desde mi punto de vista,*		

- **A mí me parece que** se **vive** más libremente en un pueblo que en una ciudad.

23.2. Cuando negamos los verbos utilizados para introducir una opinión, empleamos el subjuntivo.

(Yo) No creo/pienso/opino *(A mí) No me parece*	*que*	+ subjuntivo

- **Yo no creo que** se **viva** más libremente en un pueblo que en una ciudad.

24 Acuerdo y desacuerdo

Para expresar acuerdo y desacuerdo, podemos utilizar estos exponentes:

Yo (no) estoy de acuerdo		contigo.
	con	usted/él/ella/... esa opinión. lo que dices. que Sevilla es una ciudad mal conservada.

También podemos usar estos exponentes:

ACUERDO	DESACUERDO
Sí/no, claro. Tienes razón. Yo pienso lo mismo que tú. Yo pienso | como | tú. | igual que |	¡Qué va! No, no tienes razón. Yo no pienso lo mismo que tú. A mí me parece que no/sí. Yo | creo | que no/sí. | pienso |

Y estas estructuras:

ACUERDO			DESACUERDO		
(Sí,) Es	*verdad* *cierto* *evidente*	*que* + indicativo	*(No,) No es*	*verdad* *cierto* *evidente*	*que* + subjuntivo
(Sí,) Está claro que + indicativo			*(No,) No está claro que* + subjuntivo		

(No se expresa duda y se utiliza el indicativo.)

(En esas frases negativas se expresa duda y se utiliza el subjuntivo.)

- La vida es más cara en las ciudades que en los pueblos.
- Sí, **es verdad que es** más cara en las ciudades.

- La calidad de vida es más alta en los pueblos que en las ciudades.
- No, **no está claro que** la calidad de vida **sea** más alta en los pueblos.

25 Expresar necesidad

Para expresar necesidad, podemos utilizar estas estructuras:

Es necesario	+ infinitivo
	que + subjuntivo

- **Es necesario crear** más zonas verdes. (No se especifica el sujeto).
- **Es necesario que creéis** más zonas verdes. (Se especifica el sujeto: *vosotros*).

26 Hablar de normas sociales: valorarlas

SER
Es de mala educación + infinitivo

ESTAR	
(No) Está bien/mal visto **(No) Está socialmente aceptado**	+ infinitivo

- **Es de mala educación hablar** con la boca llena.

- **No está bien visto preguntarle** a alguien cuánto gana.

Sustantivo +	(no) estar bien/mal visto/-a/-os/-as
	(no) estar socialmente aceptado/-a/-os/-as

- En mi cultura, la impuntualidad **no está socialmente aceptada.**

27 Valoración de acciones

27.1.

Cuando valoramos acciones y especificamos quién las realiza, utilizamos el subjuntivo.

A	*mí* *ti* *él/ella/usted* *nosotros/nosotras* *vosotros/vosotras* *ellos/ellas/ustedes*	*me* *te* *le* *nos* *os* *les*	*parece*	*gracioso* *curioso* *interesante* *bien* *mal* *...*	*que* + subjuntivo

- **A mí me parece muy curioso que** la gente **salga** tanto en esta ciudad.

27.2.

Es + adjetivo + *que* + subjuntivo

Es	*lógico* *natural* *curioso* *interesante* *...*	*que* + subjuntivo

- Como hace tan buen tiempo aquí, **es lógico que** la gente **salga** tanto.

Observaciones:

Cuando valoramos acciones y no especificamos quién las realiza, empleamos el infinitivo.

- **Es muy interesante descubrir** otras culturas y costumbres.

28 Expresar gustos

| Me | gusta
encanta | + infinitivo |
| | | *que* + subjuntivo |

- **A mí me encanta que** la gente de mi clase **tenga** costumbres diferentes a las mías.

Fíjate:

- **Me gusta** mucho **visitar** a mis amigos. (La misma persona: infinitivo)
  (a mí)　　　　　(yo)

- **Me gusta** mucho que mis amigos **me visiten**. (Diferentes personas: subjuntivo)
  (a mí)　　　　　　　　　(ellos)

29 Expresar finalidad

Para expresar finalidad, podemos utilizar estas estructuras:

| Para | + infinitivo |
| | + *que* + subjuntivo |

Habitualmente usamos *para que* + subjuntivo cuando los sujetos de las dos oraciones son distintos.

- Voy a irme a vivir a un pueblo **para estar** más tranquilo. (Mismo sujeto)
  (yo)　　　　　　　　　　　(yo)

- Tienen que hacer más carriles bici **para que podamos** utilizar más la bicicleta. (Diferentes sujetos)
  (ellos)　　　　　　　　　　　(nosotros)

30 Posicionarse a favor o en contra

Para posicionarse a favor o en contra de algo, podemos emplear estas estructuras:

Estar	a favor en contra	de	+ infinitivo
			+ sustantivo
			+ *que* + subjuntivo

- **Estoy a favor de cerrar** esta calle al tráfico.
- **Estoy en contra de la construcción** de tantos apartamentos en los pueblos de la costa.
- **Estoy en contra de que construyan** tantos apartamentos en los pueblos de la costa.

31 Hipótesis, posibilidad y certeza

Podemos introducir hipótesis, posibilidad y certeza con diversos adverbios y expresiones de la manera que refleja el cuadro.

CON INDICATIVO	CON SUBJUNTIVO	CON INDICATIVO/SUBJUNTIVO
Creo (Me) Parece Es seguro Estoy seguro/-a de ⟩ que Seguro Supongo Me imagino Seguramente A lo mejor*	Es probable Es posible Es imposible No creo ⟩ que Puede (ser) No es seguro Dudo (de)	Probablemente Posiblemente Quizá(s) Tal vez

* *A lo mejor* introduce frases cuyo verbo va en presente de indicativo.

- ¿Sabes que **a lo mejor hago** un curso de cine el año que viene?
- **Es probable que** esta noche **no salga** y **me quede** en casa estudiando.
- **Quizá trabaje** alguna vez en un país de habla española.

Observaciones:

Fíjate en este cuadro orientativo en el que
se incluyen algunos marcadores de hipótesis.
Ha sido elaborado teniendo en cuenta el grado
de probabilidad que podemos expresar con ellos.

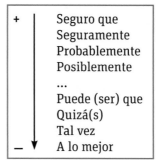

- Con *seguro que* y *seguramente* no expresamos un grado de seguridad absoluta; la información que transmitimos en la hipótesis nos parece muy probable, más que cuando empleamos *probablemente* o *es probable que*.

- Cuando colocamos los adverbios *probablemente*, *posiblemente*, *quizá(s)* y *tal vez* al final de la frase, el verbo solo puede ir en indicativo.

Al principio de la frase:

- **Posiblemente** te **haré** una visita pronto.
- **Posiblemente** te **haga** una visita pronto.

Al final de la frase:

  haré
- Te ~~haga~~ una visita pronto, **posiblemente**.

El uso del indicativo con esos marcadores de hipótesis permite expresar un mayor grado de probabilidad que cuando se utiliza el subjuntivo.

Vocabulario

Lección 1: El español y tú

	Alemán	Francés	Inglés	Portugués
además	außerdem	en plus	moreover	além disso
amanecer	aufwachen	se réveiller	to dawn	amanhecer
ambiente	Atmosphäre	ambiance	atmosphere	ambiente
bello	schön	beau	beautiful	bonito
Berlín	Berlin	Berlin	Berlin	Berlim
casi	beinahe	presque	nearly	quase
colorear	buntmalen	colorier	to colour	colorir
consistir	bestehen aus	consister	to consist	consistir
deseo	Wunsch	désir	wish	desejo
despertar	erwachen	se réveiller	to wake up	acordar
El Cairo	Kairo	le Caire	Cairo	Cairo
infeliz	unglücklich	malheureux	unhappy	infeliz
intensivo	intensiv	cours intensif	intensive	intensivo
magia	Magie	magie	magic	magia
Málaga	Málaga (spanische Stadt)	Malaga (region espagnole)	Malaga (Spanish region)	Málaga (região espanhola)
malo: ser ~ para los (idiomas)	unbegabt für (Fremdsprachen) sein	mauvais, être ~ en (langues)	to be bad at (languages)	não ser bom para os (idiomas)
pasar: ~lo bien/mal	sich (nicht) amüsieren	bien s'amuser / ne pas s'amuser	to have a good/bad time	divertir-se/ não se divertir
paz	Frieden	paix	peace	paz
real	wircklich	réel	real	real
realidad	Wirklichkeit	réalité	reality	realidade
representar	spielen	représenter	to roleplay	representar
resistir	widerstehen	résister	to resist	resistir
resolver	lösen	résoudre	to clear up	resolver
simulación	Simulación	simulation	simulation	simulação
sonar	klingen	J'aime leur sonorité /comment elles se prononcent	to sound	soar
tema	Thema	thème	subject	tema
temer	fürchten	craindre	to be afraid of	temer
único	Einzel-	unique	only	único

Lección 2: Siglo XXI. Mundo latino

	Alemán	Francés	Inglés	Portugués
adelgazar	abnehmen	maigrir	to lose weight	emagrecer
afluente	Nebenfluss	affluent	tributary	afluente
Amazonas	Amazonas	Amazone	Amazon	Amazonas

Andalucía	Andalusien	Andalousie	Andalusia	Andaluzia
Andes	Anden	Andes	Andes	Andes
atravesar	durchkreuzen	traverser	to cross	atravessar
aumentar	wachsen	augmenter	to increase	aumentar
base	Basis	base	base	base
Bolivia	Bolivien	Bolivie	Bolivia	Bolívia
Bombay	Bombay	Bombay	Mumbai	Bombaim (Mumbai)
cáncer	Krebs	cancer	cancer	câncer
caudaloso	wasserreich	abondant	large	caudaloso
Chile	Chile	Chili	Chile	Chile
China	China	Chine	China	China
científico	Wissenschaftler	scientifique	scientist	cientista
Ciudad de México	Mexiko-Stadt	Mexico	Mexico City	Cidade do México
colono	Ansiedler	colon	settler	colono
constitución	Verfassung	constitution	constitution	constituição
contaminado	verschmutzt	pollué	polluted	poluído
cordillera	Bergkette	chaîne	mountain range	cordilheira
Costa Rica	Costa Rica	Costa Rica	Costa Rica	Costa Rica
Cuba	Cuba	Cuba	Cuba	Cuba
curar	heilen	soigner	to cure	curar
Delhi	Delhi	Dehli	Delhi	Nova Delhi
demográfico	demographisch	démographique	population	demográfico
depender	abhängen	dépendre	to depend	depender
Ecuador	Ecuador	Équateur	Ecuador	Equador
El Vaticano	Vatikan	le Vatican	Vatican City	Vaticano
enfadar	ärgern	mettre en colère	to get angry	chatear
engordar	zunehmen	grossir	to gain weight	engordar
espacio	Weltraum	espace	space	espaço
especie animal	Tierart	espèce animale	animal species	espécie animal
establecer	errichten	établir	to set up	estabelecer
Everest	Mount Everrest	Everest	Everest	Everest
forma: en ~	fit	en forme	fit	em forma
frontera	Grenze	frontière	border	fronteira
fuente de energía	Energiequelle	source d'énergie	energy source	fonte de energia
Guatemala	Guatemala	Guatemala	Guatemala	Guatemala
Guyana	Guyana	Guyane	Guyana	Guiana
hectárea	Hektar	hectare	hectare	hectárea
hidrógeno	Wasserstoff	hydrogène	hydrogen	hidrogênio
Honduras	Honduras	Honduras	Honduras	Honduras
India	Indien	Inde	India	Índia
Indonesia	Indonesien	Indonésie	Indonesia	Indonésia
inmortal	unsterblich	immortel	immortal	imortal
La Paz	La Paz	La Paz	La Paz	La Paz
Lima	Lima	Lima	Lima	Lima
Marte	Mars	Mars	Mars	Marte
migratorio	Wanderungs-	migratoire	migratory	migratório
monte	Berg	montagne	mount	monte
movimiento	Bewegung	mouvement	movement	movimento
multiétnico	multiethnisch	multietnique	multiethnic	multiétnico
navegable	schiffbar	navigable	navigable	navegável

	Alemán	Francés	Inglés	Portugués
Nilo	Nil	Nil	Nile	Nilo
ocupar	einnehmen	occuper	to take up	ocupar
Pampa	Pampa	Pampa	Pampas	Pampa
Paraguay	Paraguay	Paraguay	Paraguay	Paraguai
pasar	überqueren	traverser	to cross	passar
Perú	Peru	Pérou	Peru	Peru
petróleo	Erdöl	pétrole	oil	petróleo
pirámide	Pyramide	pyramide	pyramid	pirâmide
población	Bevölkerung	population	population	população
poblado	bevölkert	peuplé	populated	povoado
pobre	Arme	pauvre	poor	pobre
Quito	Quito	Quito	Quito	Quito
República Dominicana	Dominikanische Republik	République Dominicaine	Dominican Republic	República Dominicana
ritmo	Rhythmus	rythme	rate	ritmo
ruinas	Ruinen	ruines	ruins	ruínas
sano	gesund	bon pour la santé	healthy	sano
seco	trocken	sec	dry	seco
selva	Urwald	jungle	jungle	selva
Seúl	Seoul	Séoul	Seoul	Seúl
Sevilla	Sevilla	Séville	Seville	Sevilha
superficie	Oberfläche	superficie	area	superfície
tecnología	Technologie	technologie	technology	tecnologia
territorio	Gebiet	territoire	territory	território
Tierra	Erde	Terre	Earth	Terra
Tokio	Tokio	Tokyo	Tokyo	Tóquio

Lección 3: ¿Cómo conociste a tu mejor amigo?

	Alemán	Francés	Inglés	Portugués
aceptar	annehmen	accepter	to accept	aceitar
agujero	Loch	trou	hole	buraco
alegrarse de algo	sich freuen	se réjouir de quelque chose	to be happy about something	alegrar-se por alguma coisa
aprendizaje	Lern-	apprentissage	learning	aprendizagem
caer(se) bien/mal	(sich) mögen, nicht ~	aimer bien / ne pas bien aimer	to like/dislike (each other)	cair bem/mal
cambio, a ~	Tausch, dagegen	échange, en ~	exchange, in ~	troca, em ~
cana	graues Haar	cheveu blanc	grey hair	cabelo branco
capaz	fähig	capable	capable	capaz
causar	machen	faire	to make	causar
chocar	zusammenstoßen	se disputer	to collide	bater
coincidir	übereinstimmen	correspondre / se rencontrer	to meet by chance	coincidir
cola, hacer ~	Schlange, ~ stehen	queue, faire la ~	queue, to ~	fila, na ~
compartir	teilen	partager	to share	dividir
común	gemeinsam	commun	shared	comum
confiar	(ver)trauen	avoir confiance, faire confiance	to trust	confiar
conocer, ¿Cómo conociste a tu mejor amigo?	kennen(lernen), Wie hast du deinen besten Freund kennengelernt?	faire connaissance, Comment as-tu fait la connaissance de ton meilleur ami ?	to meet, How did you meet your best friend?	conhecer, Como você conheceu seu melhor amigo?

criticar	kritisieren	critiquer	to criticise	criticar
cuenta: darse ~	bemerken	se rendre compte	to realise	perceber
curioso	eigenartig	curieux	strange	curioso
defecto	Fehler	défaut	fault	defeito
desacuerdo, en ~	Uneinigkeit, uneinig	désaccord, en ~	disagreement, in ~	desacordo, em ~
desanimar	verzagen	décourager	to discourage	desanimar
experimento	Experiment	expérience	experiment	experimento
finalmente	schließlich	finalement	finally	finalmente
gastar	abnutzen	dépenser	to wear out	gastar
grano	Korn	grain	grain	grão
hacerse amigos	sich befreunden	devenir amis	to become friends	ficar amigos
hazmerreír	Witzfigur	risée	laughing stock	motivo de riso
impresión	Eindruck	impression	impression	impressão
impulsar	antreiben	impulser	to propel	impulsionar
inventor	Erfinder	inventeur	inventor	inventor
investigador	Forscher	chercheur	researcher	pesquisador
nave	Raumschiff	vaisseau	ship	nave
numerado	nummeriert	numéroté	numbered	numerado
ofrecer	anbieten	offrir	to offer	oferecer
ortográfico	Rechtschreibungs-	orthographique	spelling	ortográfico
pastel	Pastell-	pastel	pastel	giz pastel
perfectamente	sehr gut	parfaitement	perfectly	perfeitamente
principio	Anfang	début	beginning	princípio
puesto, ~ de trabajo	Stelle, Arbeits~	poste, ~ de travail	position, job	posto, emprego
serio: en ~	ernsthaft	sérieusement	seriously	é sério
sincero	ehrlich	sincère	sincere	sincero
sistema	System	système	system	sistema
sobrar	übrig bleiben	être en trop	to be left over	sobrar
solo	allein	seul	alone	sozinho
suficiente	genug	suffisant	enough	suficiente
totalmente	völlig	totalement	completely	totalmente
vehículo	Fahrzeug	véhicule	vehicle	veículo
voz: en ~ alta	laut	à haute voix	aloud	em voz alta

Lección 4: ¿Qué es de tu vida?

	Alemán	Francés	Inglés	Portugués
algo	etwas	quelque chose	something	algo
algún	(irgend)ein	quelque	some, any, one or two	algum
alguno	(irgend)ein	quelque	some, any, one or two	algum
amistad	Freundschaft	amitié	friendship	amizade
anterior	vorherig	antérieur	previous	anterior
aparte	außer	à part	besides	Além de
aparte de	abgesehen von	en plus	apart from	Além de
beca	Stipendium	bourse	grant, scholarship	bolsa de estudos
carné de conducir, sacarse el ~	Führerschein, ~ machen	permis de conduire, passer le ~	driving license, to get one's ~	carteira de motorista tirar a ~
carrera, hacer una ~	Studiengang, studieren	études, faire des ~	degree course, to take a degree	carreira, fazer uma ~
casualidad	Zufall	hasard	coincidence	casualidade

contrato, firmar un ~	Vertrag, einen ~ unterzeichnen	contrat, signer un ~	contract, to sign a ~	contrato, assinar um ~
convivir	zusammenwohnen	vivre	to live together	conviver
creer: ¡No me lo puedo ~!	Ich kann es nicht glauben!	je n'y crois pas !	I can't believe it!	Não posso acreditar!
cumplir: ~ años	Geburtstag haben	avoir....ans (anniversaire)	to have a birthday	fazer aniversário
curriculum vitae	Lebenslauf	curriculum vitae	curriculum vitae	currículum vitae
dejar	(die Ausbildung) abbrechen, (dei Arbeit) kündigen, (jdn.) verlassen	démissioner (travail)/ arrêter (ses études)/ quitter (quelqu'un)	to leave	largar (travalho, estudos), abandonar (alguém)
despedir	entlassen	renvoyer	to fire	despedir
despido	Entlassung	renvoi	dismissal	demissão
discutir	streiten	discuter	to argue	discutir
divórcio	Scheidung	divorce	divorce	divórcio
increíble	unglaublich	incroyable	incredible	incrível
intercambio	Austausch	échange	exchange	intercâmbio
ir: ¿Qué tal te van las cosas?	Wie geht es bei dir?	Comment vas-tu ?	How are things (with you)?	Como vão as coisas?
lástima, ¡Qué ~!	Leid, Wie Schade!	dommage, Quel ~ !	shame, What a shame!	pena, Que ~!
ligar	flirten	rencontrer quelqu'un	to pick somebody up	paquerar
máster	Master	master	Master's degree	Especialização, Mestrado
matricularse	sich einschreiben	s'inscrire	to register	matricular-se
mensaje de texto	Textnachricht	texto	text message	torpedo (SMS)
nadie	niemand	personne	no one	ninguém
ningún	kein	aucun	no, any	nenhum
ninguno	kein	aucun	none, no, any	nenhum
pena, ¡Qué ~!	Leid, Wie schade!	dommage, Quel ~ !	pity, What a pity!	pena, Que ~!
perfecto	perfekt	parfait	perfect	perfeito
pesado	zudringlich	pénible	tiresome	chato
prácticas	Praktikum	stage	work experience	estágio
primero: a la primera	beim ersten Versuch	du premier coup	at the first attempt	na primeira
recursos humanos	Personalwesen	Ressources Humaines	human resources	recursos humanos
repetir	nachsitzen	redoubler	to repeat	repetir
romper con alguien	mit jdm. Schluss machen	rompre	to break up with somebody	terminar com alguém
salir con alguien	zusammen sein	sortir	to go out with somebody	sair com alguém
últimamente	in letzter Zeit	dernièrement	lately	ultimamente
verdad: ¿De ~?	Echt?	Vraiment ?	Really?	É mesmo?
vida: ¿Qué es de tu ~?	Was treibst du so?	Que deviens-tu ?	What have you been up to?	Como vai a vida?

Lección 5: Deseos y planes

	Alemán	Francés	Inglés	Portugués
acción	Aktie	action	share	ação
acordarse	sich erinnern	se souvenir	to remember	lembrar-se
anotar	aufschreiben	noter	to make a note of	anotar
Año Nuevo	Neujahr	Nouvel An	New Year	Ano Novo

aprovechar: ¡Que aproveche!	Guten Appetit!	Bon appétit !	Enjoy your meal!	Bom apetite!
bajar	senken	baisser	to drop	baixar
boda, noche de ~	Hochzeit, ~snacht	mariage, nuit de noce	wedding, ~ night	casamento, noite do ~
Bolsa, acciones en la ~	Börse, Aktien an der ~	bourse, actions en ~	stock exchange, shares on the ~	Bolsa, ações na ~
cambio climático	Klimawandel	changement climatique	climate change	mudança climática
cántaro	Krug	cruche	jug	cântaro
carnaval	Karneval	carnaval	carnival	carnaval
cerdo	Schwein	porc	pig	porco
cibercafé	Internetcafé	cybercafé	Internet café	Cyber café
complejo	Komplex	complexe	complex	complexo
complicado	kompliziert	compliqué	complicated	complicado
condiciones de trabajo	Arbeitsbedingungen	conditions de travail	working conditions	condições de trabalho
criar	züchten	élever	to raise	criar
cuento de hadas	Feenmärchen	conte de fées	fairy tale	conto de fadas
desaparecer	verschwinden	disparaître	to disappear	desaparecer
despedirse	sich verabschieden	faire ses adieux	to say goodbye	despedir-se
día: Día de la Madre, Día de la Mujer Trabajadora, Día de los Enamorados, Día de los Trabajadores, Día del Padre	Muttertag, Tag der arbeitenden Frau, Valentinstag, Tag der Arbeiter, Vatertag	Fête des mères, journée de la femme, Saint Valentin, Fête du travail, Fête des pères	Mother's Day, International Women's Day, Valentine's Day, Labour Day, Father's Day	Dia das Mães, Dia da Mulher Trabalhadora, Dia dos Namorados, Dia do Trabalho, Dia dos Pais
disfrutar	genießen	s'amuser, profiter de	to enjoy	aproveitar
dorar	bräunen	dorer	to brown	dourar
emigrar	auswandern	émigrer	to emigrate	emigrar
energía, ~s alternativas	Energie, alternative ~	énergie, ~s alternatives	energy, alternative ~	energia, ~s alternativas
espejo	Spiegel	miroir	mirror	espelho
espina	Dorn, Gräte	épine	thorn	espinho
fiesta: ~s patronales	Patronfest	Fête patronale	patron festivals	festas do padroeiro
gallina	Huhn	poule	hen	galinha
gestión, hacer gestiones	Sache/Angelegenheit, **Sachen/ Angelegenheiten erledigen**	gestion, faire des démarches	step, to take steps	trâmite, fazer alguns trâmite
huir	entkommen	fuir	to escape	fugir
incurable	unheilbar	incurable	incurable	incurável
lechera	Milchmädchen	laitière	milkmaid	leiteira
luna de miel	Hochzeitsreise	lune de miel	honeymoon	lua de mel
maldito	verdammt	maudit	damned	maldito
montar una empresa	eine Firma aufbauen	monter une entreprise	to set up a company	abrir uma empresa
multimillonario	Multimillionär	multimillionnaire	multimillionaire	multimilionário
Nochebuena	Heiligabend	Réveillon de Noël	Christmas Eve	noite do dia 24 de dezembro
Nochevieja	Silvesterabend	Saint Sylvestre	New Year's Eve	Réveillon
pasar: ~ de moda	altmodisch werden	être démodé	go out of style	passar de moda
rimar	reimen	rimer	to rhyme	rimar
ternero	Kalb	veau	calf	bezerro

tropezar	stolpern	trébucher	to trip	tropeçar
uva	Traube	raisin	grape	uva
verso	Vers	vers	verse	verso

Lección 6: Carácter, relaciones personales y sentimientos

	Alemán	Francés	Inglés	Portugués
arrogante	hochnäsig	arrogant	arrogant	arrogante
atascar	stocken	boucher	to block	engarrafar
atasco	Stau	bouchon	traffic jam	engarrafamento
calle: irse a la ~	gefeuert werden	être renvoyé/viré	to be put out of a job	ir para a rua
cariñoso	liebevoll	affectueux	affectionate	carinhoso
cerrado	verschlossen	fermé	uncommunicative	fechado
compatible	kompatibel	compatible	compatible	compatível
contrario	Gegenteil	contraire	opposite	contrário
costar	schwerfallen	coûter	to be difficult	custar
débil	schwach	faible	weak	fraco
demasiado	zu sehr, zu viel	trop	too	muito
difícil	schwierig	difficile	difficult	difícil
dificultad	Schwierigkeit	difficulté	difficulty	dificuldade
embotellamiento	Verstopfung	embouteillage	traffic jam	engarrafamento
entenderse	sich verstehen	s'entendre	to get along	entender-se
estupendamente	bestens	à merveille	marvellously	ótimo
excusa	Ausrede	excuse	excuse	desculpa
fácil	leicht	facile	easy-going	fácil
físico	Aussehen	physiquement	physical appearance	físico, corpo
fuerte	stark	fort	strong	forte
hablador	redselig	bavard	talkative	falador
humor: sentido del ~	Sinn für Humor	sens de l'humour	sense of humour	senso de humor
impuntualidad	Unpüktlichkeit	manque de ponctualité	unpunctuality	impontualidade
individualista	individualistisch	individualiste	individualistic	individualista
inseguro	unsicher	pas sûr	insecure	inseguro
insensible	unsensibel	insensible	insensitive	insensível
insoportable	unausstehlich	insupportable	insufferable	insuportável
introvertido	introvertiert	introverti	introverted	introvertido
lástima, dar ~	Bedauern, bedauern	peine, faire de la ~	pity, to be sorry	pena, dar ~
llevarse bien/mal	sich gut/schlecht vertragen	s'entendre bien/mal	to get on well/badly	dar-se bem/mal
majo	nett	sympa	nice	legal
más: ~ bien	vielmehr, eher	plutôt	rather	pelo contrário, mas sim
memorizar	sich merken	mémoriser	to memorise	decorar
mentiroso	lügenhaft	menteur	liar	mentiroso
miedo: dar ~	Angst machen	faire peur	to be scared	dar medo
miedoso	ängstlich	peureux	fearful	medroso
molestar	stören	déranger	to bother	incomodar
orgulloso	hochmütig	fier	proud	orgulhoso
oscuridad	Dunkelheit	obscurité	darkness	escuridão
paciente	geduldig	patient	patient	paciente
pena: dar ~	Leidtun	faire de la peine	to be sorry	dar pena

ponerse: ~ nervioso/triste/ contento	nervös / traurig werden, zufrieden sein	s'énerver, être triste/ content	to become nervous/ sad/happy	ficar nervoso/triste/ contente
progreso	Fortschritt	progrès	progress	progresso
publicidad	Werbung	publicité	advertising	publicidade
regularmente	regelmäßig	régulièrement	regularly	regularmente
relación personal	persönliche Beziehung	relation personnelle	personal relationship	relação pessoal
relajar	entspannen	détendre	to relax	relaxar
respetar	respektieren	respecter	to respect	respeitar
resultado	Ergebnis	résultat	result	resultado
romántico	romantisch	romantique	romantic	romântico
seguro	sicher	sûr de lui	self-assured	seguro
sensible	sensibel	sensible	sensitive	sensível
soportar	aushalten	supporter	to put up with	suportar
sugerencia	Ratschlag	suggestion	suggestion	sugestão
tarea	Aufgabe	tâche	homework	tarefa
tripa, dolor de ~	Bauch, ~schmerzen	ventre, maux de ventre	stomach, ~ ache	barriga, dor de ~
vago	faul	paresseux	lazy person	preguiçoso
valeriana	Baldrian	valériane	valerian	valeriana
valiente	tapfer	courageux	brave	valente
vergüenza: dar ~	sich schämen	honte, faire ~	to be embarrassed/ ashamed	dar vergonha

Lección 7: Vida sana

	Alemán	Francés	Inglés	Portugués
alcohol	Alkohol	alcool	alcohol	bebida alcoólica
alérgico	allergisch	allergique	allergic	alérgico
alimentar	ernähren	alimenter	to feed	alimentar
antigás	Gasschutz	masque à gaz	gas	antigás
azar	Zufall	hasard	chance	acaso
berenjena	Aubergine	aubergine	aubergine	berinjela
bizcocho	Zwieback, Biskuit	gâteau	sponge cake	bolo
calabacín	Zucchini	courgette	courgette	abobrinha
cansancio	Erschöpfung	fatigue	tiredness	cansaço
caso: ni ~	nicht zuhören	tu t'en fiches	don't pay attention	nem aí
cereza	Kirsche	cerise	cherry	cereja
chorizo	(spanische) Paprikawurst	chorizo	Spanish pork sausage	chouriço
colesterol	Cholesterin	cholestérol	cholesterol	colesterol
colorante	Farbstoff	colorant	artificial colouring	corante
comida rápida	Fastfood	fast food	fast food	comida rápida
consejo	Ratschlag	conseil	advice	conselho
controlar	kontrollieren	contrôler	to monitor	controlar
corazón	Herz	cœur	heart	coração
costilla, ~ de cordero	Rippe, Lamm	côtelette, ~ d'agneau	ribs, lamb ~	costela, ~ de cordeiro
cuidar	Acht geben	soigner	to look after	cuidar
desengaño	Enttäuschung	déception	disappointment	desilusão
despeinar	zerzausen	décoiffer	to mess somebody's hair up	descabelar-se
dulce	Süßigkeit	gâteau	sweet	doce

embutido	Wurst	charcuterie	sausage	embutido
espinaca	Spinat	épinards	spinach	espinafre
estrés	Stress	stress	stress	stress
evitar	vermeiden	éviter	to avoid	evitar
fijar	fixieren	forcer	to fix (one's gaze)	forçar
fundamental	sehr wichtig	fondamental	fundamental	fundamental
fundar	gründen	fonder	to set up	fundar
garbanzo	Kichererbse	pois chiche	chickpea	grão de bico
gomina	Haargel	gel	hair gel	gel
hogar	Zuhause	foyer	home	lar
humo	Rauch	fumée	smoke	fumaça
importancia	Wichtigkeit	importance	importance	importância
judía, ~ blanca	Bohne, weiße	haricot, ~ sec	bean, white ~	feijão, ~ branco
kiwi	Kiwi	kiwi	kiwi fruit	kiwi
lácteo	Milch-	laitage	dairy product	lácteo
legumbre	Hülsenfrucht	légumes secs	legume	legume
lenteja	Linse	lentillle	lentil	lentilha
lesionar	verletzen	blesser	to injure	machucar-se
ley	Gesetz	loi	law	lei
libertad	Freiheit	liberté	freedom	liberdade
libro: ~ de viajes	Reisebuch	livre, guide de voyages	travel book	livro de viagens
lomo, ~ de cerdo	Lende, Schweine~	filet, ~ de porc	loin, pork ~	lombo, ~ de porco
magdalena	Madeleine	madeleine	small sponge cake	madalena
mantenerse	sich halten	se maintenir	to stay	manter-se
marisco	Meeresfrüchte	fruits de mer	seafood	frutos do mar
máscara	Maske	masque	mask	máscara
montón: un ~	ein Haufen	un tas	a load of	um monte
músculo, hacer ~s	Muskel, ~n trainieren	muscle, se faire les muscles	muscle, to build ~	músculo, musculação
obligar	zwingen	obliger	to force	obrigar
pantalla	Bildschirm	écran	screen	tela
pechuga, ~ de pollo	Brust, Hühner~	blanc, ~ de poulet	breast, chicken ~	peito, ~ de frango
pera	Birne	poire	pear	pera
periódico	regelmäßig	périodique	periodic	periódico
permitir	zulassen	permettre	to allow	permitir
pimiento	Paprika	poivron	pepper	pimentão
piña	Ananas	ananas	pineapple	abacaxi
placer	Wonne	plaisir	pleasure	prazer
prestar: ~ atención	Acht geben	prêter attention	to pay attention	prestar atenção
protestar	sich beschweren	protester	to complain	protestar
Química	Chemie	chimie	Chemistry	Química
reducir	mäßigen	réduire	to reduce	reduzir
reinar	regieren	régner	to reign	reinar
relacionarse	in Verbindung treten	fréquenter	to socialise	relacionar-se
romper(se)	brechen	(se)casser	to break (a bone)	quebrar
rumba	Rumba	rumba	rumba	rumba
salchichón	Salami	saucisson	spiced sausage	salsichão
sexo	Sex	sexe	sex	sexo

solomillo, ~ de ternera	Lendenstück, Rinder~	filet, ~ de boeuf	tenderloin, veal ~	filé mignon, ~ de vite
soñar	träumen	rêver	to dream	sonhar
sustancia	Stoff	substance	substance	substância
tentación	Versuchung	tentation	temptation	tentação
trasnoche	Nachtschwärmerei	dernière séance	late night	virar a noite
vacunar(se)	(sich) impfen lassen	(se)vacciner	to get oneself vaccinated	vacinar
verdura	Gemüse	légume	vegetable	verdura
yoga	Yoga	yoga	yoga	ioga

Lección 8: Tecnología

	Alemán	Francés	Inglés	Portugués
abrir	öffnen	ouvrir	to open	abrir
absolutamente	unbedingt	absolument	absolutely	absolutamente
actitud	Haltung	attitude	attitude	atitude
adjuntar	anhängen	joindre	to attach	anexar
agencia de viajes	Reiseagentur	agence de voyages	travel agency	agência de viagens
amenaza	Drohung	menace	threat	ameaça
antivirus	Antivirenprogramm	antivirus	antivirus	antivírus
archivo	Datei	dossier	file	arquivo
bajar(se)	herunterladen	télécharger	to download	baixar
batería	Batterie, Akku	batterie	battery	bateria
bilingüe	zweisprachig	bilingue	bilingual	bilíngue
bloquear(se)	abstürzen, blockieren	être bloqué	to not be able to think straight	bloquear
buscador	Suchmaschine	serveur	browser	buscador
buzón: ~ de voz	Sprachbox (mobiler Anrufbeantworter)	boîte vocale	voicemail	caixa de mensagens
cerrar	schließen	fermer	to close	fechar
clic, hacer ~	Klick, klicken	clic, cliquer	click, to ~	clique, clicar
coger: ~ el teléfono	das Telefon abnehmen	répondre au téléphone	to pick up the phone	atender o telefone
colgar	hochladen, auflegen	raccrocher, publier sur le web	to post (information), to hang up (the phone)	desligar, subir
conectar(se)	sich einloggen, die (Internet-)Verbindung herstellen	(se)connecter	to go online	conectar-se
conexión	Verbindung	connection	connection	conexão
constante	beharrlich	constant	consistent	constante
consultar	besuchen	consulter	to consult	consultar
contabilidad	Buchhaltung	comptabilité	accounting	contabilidade
contestador automático	Anrufbeantworter	répondeur automatique	answering machine	secretária eletrônica
contexto	Zusammenhang	contexte	context	contexto
contraseña	Passwort	mot de passe	password	senha
copia, ~ oculta	Kopie, Blind~	copie, ~ occulte	copy, blind carbon ~	cópia, ~ oculta
cursor	Cursor	curseur	cursor	cursor
derechos de autor	Urheberrechte	droits d'auteur	copyright	direitos de autor
descargar(se)	herunterladen	télécharger	to download	descarregar
descolgar	abnehmen	décrocher	to pick up	tirar o telefone do gancho

desinstalar	deinstallieren	désinstaller	to uninstall	desinstalar
desviar, ~ una llamada	umleiten, einen Anruf ~	transférer, ~ un appel	to divert, to ~ a call	desviar, ~ uma chamada
devolver, ~ una llamada	zurückgeben, zurückrufen	rendre, rappeler	to return, ~ a call	devolver, retornar uma chamada
eliminar	löschen	éliminer	to delete	eliminar
enseñanza	Lehrbetrieb	enseignement	teaching	ensino
entrar en	gehen auf	entrer	to view	entrar em
escáner	Scanner	scanner	scanner	escáner
estrategia	Strategie	stratégie	strategy	estratégia
exagerar	übertreiben	exagérer	to exaggerate	exagerar
explicación	Erklärung	explication	explanation	explicação
extensión	Anschluss	poste	extension	ramal
fijo	Festnetztelefon	fixe	land line	fixo
fingir	tun als ob	faire semblant	to pretend	fingir
grabadora	Brenner	magnétophone	recorder	gravador
gratuito	kostenlos	gratuit	free	gratuito
guardar	speichern	sauvegarder	to save	salvar
icono	Symbol	icône	icon	ícone
ilegal	illegal	illégal	illegal	ilegal
impresora, ~ láser	Drucker, Laser~	imprimante, ~ laser	printer, laser ~	impressora, ~ laser
instalar	installieren	installer	to install	instalar
intentar	versuchen	tenter, essayer	to try	tentar
intercambiar	austauschen	échanger	to swap	trocar
línea ADSL	DSL Anschluss	ligne ADSL	ADSL	linha ADSL
manifestación	Demonstration	manifestation	demonstration	manifestação
marcar: ~ un número de teléfono	eine Telefonnummer wählen	faire un numéro de téléphone	to dial a number	discar um número de telefone
monitor	Monitor	moniteur	monitor	monitor
monolingüe	einsprachig	monolingue	monolingual	monolíngue
motivado	motiviert	motivé	motivated	motivado
navegador	Browser	navigateur	browser	navegador
nota	Notiz	note	note	observação
oportunidad	Gelegenheit	chance	opportunity	oportunidade
páginas amarillas	Gelbe Seiten	pages jaunes	yellow pages	páginas amarelas
pantalla, ~de ordenador	Bildschirm, Computer~	écran, ~ d'ordinateur	screen, computer ~	tela, ~de computador
participar	sich beteiligen	participer	to participate	participar
pasar	weiterleiten	passer	to put (a call) through	passar
perderse	den Faden verlieren	se perdre	to get lost	perder-se
petición	Bitte	demande	request	solicitação
prefijo	Vorwahlnummer	préfixe	dialling code	código da cidade
procurar	versuchen	tenter	to try	procurar
programa	Programm	programme	programme	programa
progresar	sich bessern	progresser	to make progress	progredir
proteger	schützen	protéger	to protect	proteger
provincia	Provinz	province	province	província
puerto USB	USB-Anschluss	port USB	USB port	porta usb
pulsar	drücken	appuyer	to press	clicar
quedarse sin batería	der Akku ist leer	ne plus avoir de batterie	to run out of battery	ficar sem bateria

ratón	Maus	souris	mouse	mouse
recargar	aufladen	recharger	to recharge	recarregar
reenviar	weiterleiten	renvoyer	to forward	encaminhar
responsable	verantwortlich	responsable	responsible	responsável
saldo	Guthaben	solde	balance	saldo
subir	hochladen	téléverser	to upload	subir
tecla	Taste	touche	key	tecla
teclado	Tastatur	clavier	keyboard	teclado
unidad central	Zentraleinheit (CPU)	unité centrale	central processing unit (CPU)	unidade central
urgente	dringend	urgent	urgent	urgente
usuario, nombre de ~	Benutzer, ~name	utilisateur/trice, nom d´~	user, ~ name	usuário, nome de ~

Lección 9: Ciudades

	Alemán	Francés	Inglés	Portugués
aclaración	Erklärung	mise au point	explanation	esclarecimento
acogedor	gastlich	accueillant	welcoming	acolhedor
adorar	lieben	adorer	to love	adorar
adulto	Erwachsene	adulte	adult	adulto
agresivo	aggressiv	agressif	aggressive	agressivo
anonimato	Anonymität	anonymat	anonymity	anonimato
argumentar	argumentieren	argumenter	to argue	argumentar
armonía: en ~	in Einklang	en harmonie	in harmony	em harmonia
cálido	warmherzig	chaleureux	warm	afetuoso, acolhedor
caminar	gehen	marcher	to walk	caminhar
caos	Chaos	chaos	chaos	caos
carril bici	Fahrradweg	piste cyclable	cycle lane	ciclovia
casco antiguo	Altstadt	vieille ville	old quarter	bairro antigo
cierto	wahr	vrai	true	verdade
claro	verständlich	clair	clear	claro
comportarse	sich verhalten	se conduire	to behave	comportar-se
conservado	erhalten	conservé	maintained	conservado
contaminación	Verschmutzung	pollution	pollution	poluição
conveniente	nötig	convenable	advisable	conveniente
corrección	Korrektur	correction	correction	correção
cosmopolita	weltstädtisch	cosmopolite	cosmopolitan	cosmopolita
cuidado	gepflegt	soigné	well looked after	cuidado
decadente	dekadent	décadent	decadent	decadente
delincuencia	Kriminalität	délinquance	crime	delinquência
desempleo	Arbeitslosigkeit	chômage	unemployment	desemprego
desordenado	schlampig	desordonné	untidy	bagunçado
desorganizado	zerrüttet	desorganisé	disorganised	desorganizado
económico	wirtschaftlich	économique	financial	econômico
evidente	offenkundig	évident	obvious	evidente
exactamente	genau	exactement	exactly	exatamente
existir	vorliegen, geben	exister	to exist	existir
fascinante	faszinierend	fascinant	fascinating	fascinante
favor: a ~	für	pour	in favour	a favor
habitable	bewohnbar	habitable	habitable	habitável
histórico	sehenswürdig, historisch	historique	historic	histórico

inconveniente	Nachteil	inconvénient	disadvantage	inconveniente
inseguridad, ~ ciudadana	öffentliche Unsicherheit	insécurité, ~ urbaine	lack of safety, ~ in a city or town	insegurança, ~ da população
insoportablemente	unerträglich	insupportable	unbearably	insuportavelmente
interrumpir	unterbrechen	interrompre	to interrupt	interromper
interrupción	Unterbrechung	interruption	interruption	interrupção
libremente	frei	librement	freely	livremente
limpio, pasar a ~	sauber, ~ abschreiben	propre, mettre au ~	clean, to make a fresh copy	limpo, passar a ~
manera	Art	façon	way	maneira
maravilloso	wunderbar	merveilleux	wonderful	maravilhoso
masificación	Vermassung	massification	overcrowding	massificação
mayoría	Mehrheit	majorité	majority	maioria
monumental	monumental	monumental	monumental	monumental
negativo	verneinend	négatif	negative	negativo
novedoso	neu	nouveau	new	inovador
oferta, ~ cultural, ~ educativa, ~ de trabajo	Angebot, kulturelles ~, Bildungs~, Arbeits~	offre, vie culturelle, ~ éducative, ~ d'emploi	offer, cultural attractions, schools, job vacancies	oferta, ~ cultural, ~ educativa, ~ de trabalho
ordenado	ordentlich	ordonné	tidy	arrumado
organizado	organisiert	organisé	organised	organizado
palabra: tomar la ~	das Wort ergreifen	prendre au mot	to take the floor	tomar a palavra
peligroso	gefährlich	dangereux	dangerous	perigoso
positivo	bejahend	positif	positive	positivo
programa, ~ cultural	Programm, kulturelles ~	programme, ~ culturel	programme, cultural ~	programa, ~ cultural
prohibir	verbieten	interdire	to prohibit	proibir
punto de vista	Blickpunkt	point de vue	point of view	ponto de vista
reconocer	einsehen	reconnaître	to recognise	reconhecer
remedio, no tener más ~	(Heil)Mittel, nicht anders können	solution, ne pas avoir de ~	solution, to have no other choice	remédio, não ter mais ~
respirar	atmen	respirer	to breathe	respirar
servicios públicos	öffentliche Dienstleistungen	services publics	public services	serviços públicos
soledad	Einsamkeit	solitude	loneliness	solidão
sucio	dreckig	sale	dirty	sujo
tradicional	traditionell	traditionnel	traditional	tradicional
transporte: ~ público	öffentliche Verkehrsmittel	transport en commun	public transport	transporte público
ventaja	Vorteil	avantage	advantage	vantagem
vivo	lebendig	vivant	lively	vivo

Lección 10: Sucesos y bromas

	Alemán	Francés	Inglés	Portugués
afortunadamente	glücklicherweise	heureusement	fortunately	felizmente
agente	Polizist	agent	officer	agente
almuerzo	Mittagessen	déjeuner	lunch	almoço
aparecer	erscheinen	apparaître	to show up	aparecer
aplaudir	beklatschen	applaudir	to applaud	aplaudir
asaltar	überfallen	dévaliser	to rob	assaltar
besar	küssen	embrasser	to kiss	beijar

broma: ~ de mal gusto, ~ pesada	unangebrachter Spaß, derber ~	plaisanterie de mauvais goût, mauvaise ~	joke in poor taste, mean joke	brincadeira de mal gosto, ~ pesada
bromear	scherzen	plaisanter	to joke	brincar
bromista	Spaßmacher	blagueur	joker	brincalhão
calzado	Schuhe	chaussures	shoes	calçado
cara	Gesicht	visage	face	cara
carcajada	Gelächter	éclat de rire	guffaw	gargalhada
categoría gramatical	Wortart	catégorie grammaticale	part of speech	categoria gramatical
cena	Abendessen	dîner	dinner	jantar
ceremonia	Zeremonie	cérémonie	ceremony	cerimônia
confesar	gestehen	avouer	to confess	confessar
conjugación	Konjugation	conjugaison	conjugation	conjugação
contar	erzählen	raconter	to tell	contar
definición	Begriffsbestimmung	définition	definition	definição
delicioso	köstlich	délicieux	delicious	delicioso
desconocido	Unbekannte	inconnu	stranger	estranho
describir	beschreiben	décrire	to describe	descrever
detener	festnehmen	arrêter	to catch	prender
división	Trennung	division	division	divisão
dudar	zweifeln	douter	to hesitate	duvidar
durante	während	pendant	during	durante
elegante	elegant	élégant	elegant	elegante
encontrar	finden	trouver	to find	encontrar
espacio, ~ de tiempo	Raum, Zeit~	espace, ~ de temps	space, ~ of time	espaço, ~ de tempo
especificar	aufführen	préciser	to specify	especificar
espera	Wartezeit	attente	wait	espera
estado	Zustand	état	state	estado
extrañar	wundern, vermissen	étonner, manquer	to inspire disbelief, to miss	estranhar, sentir falta de
faltar	fehlen	manquer	to be left	faltar
fino	scharf	fin	keen	apurado
gracia, hacer ~	Witz, witzig finden	humour, amuser	humour, to be funny	graça, fazer gracinha
incidente	Vorfall	incident	incident	incidente
inocentada	Aprilscherz (in Spanien am 28. Dezember)	blague	practical joke	brincadeira
intención	Absicht	intention	intention	intenção
intervalo	Zwischenraum	intervalle	interval	intervalo
joyero	Schmuckdose	boîte à bijoux	jewellery box	porta-joias
justo	gerade	juste	just	justamente
juzgado	Gericht	tribunal	courthouse	tribunal
ladrón	Dieb	voleur	thief	ladrão
latir	pochen	battre	to beat	bater
listo	fertig	prêt	ready	pronto
madrina	Patin	témoin	chief bridesmaid	madrinha
marinero: a la marinera	mariniert	marinière	cooked in a sauce with onion, tomato and white wine	à marinheira
matrimonio	Ehepaar, Ehe	mariage	marriage, couple	casamento, casal
mostrar	zeigen	montrer	to express	mostrar
muerto, estar ~ de vergüenza	tot, sich zu Tode schämen	mort, ~ de honte	dead, to be dying of embarrassment	morto, estar morrendo de vergonha

pelo: tomar el ~	jdn. auf den Arm nehmen	se moquer	to pull somebody's leg	zombar
pescado	Fisch	poisson	fish	peixe
preparar	vorbereiten	préparer	to prepare	preparar
profundamente	tief	profondément	deeply	profundamente
propietario	Eigentümer	propriétaire	owner	proprietário
propio	eigen	propre	own	próprio
rápidamente	schnell	rapidement	quickly	rapidamente
regresar	zurückkehren	revenir	to return	retornar
repente: de ~	plötzlich	soudain	suddenly	de repente
resultar	sich herausstellen	être	to turn out	resultar
roncar	schnarchen	ronfler	to snore	roncar
ronquido	Schnarcher	ronflement	snore	ronco
satisfacción	Genugtuung	satisfaction	satisfaction	satisfação
sorprendido	erstaunt	surpris	surprised	surpreso
susto, darse un ~	Schreck, sich erschrecken	peur, avoir ~	fright, to be ~ened	susto, levar um ~
tenso	angespannt	tendu	tense	tenso
tumbarse	sich hinlegen	s'étendre	to lie down	deitar-se
valorar	schätzen	estimer	to value	avaliar, valorizar
velo	Schleier	voile	veil	véu
verbal	Verbal-	verbal	verbal	verbal
verdad: la ~	eigentlich	vraiment	honestly	a verdade
verdadero	wahr	vrai	true	verdadeiro
vestido: ~ de novia	Brautkleid	robe de mariée	wedding dress	vestido de noiva
visita	Besuch	visite	visit	visita
vivienda	Wohnung	maison	home	moradia
zapatilla	Hausschuh	pantoufle	slipper	chinelo, tênis

Lección 11: El futuro

	Alemán	Francés	Inglés	Portugués
anciano	Alte	personne âgée	elderly person	idoso
avanzar	fortschreiten	avancer	to advance	avançar
bebé	Baby	bébé	baby	bebê
cartel	Schild	affiche	sign	cartaz
cerebro	Gehirn	cerveau	brain	cérebro
circular	verkehren	circuler	to come and go	circular
colonizar	besiedeln	coloniser	to settle	colonizar
desarrollado	entwickelt	développé	developed	desenvolvido
destino	Ziel	destination	destination	destino
distinto	anders	différent	different	diferente
educación pública	öffentliche Bildung	enseignement public	public education	educação pública
efectivo: en ~	bar	en espèces	in cash	em dinheiro
empleo	Arbeit(sstelle)	emploi	employment	emprego
en general	im Allgemeinen	en général	in general	em geral
enfermedad	Krankheit	maladie	illness	doença
escolarizar	einschulen	scolariser	to educate	escolarizar
extremo	extrem	extrême	extreme	extremo
financiar	finanzieren	financer	to fund	financiar
fluido	fließend	fluide	fluent	fluente

	Alemán	Francés	Inglés	Portugués
genoma	Genom	génome	genome	genoma
gobierno	Regierung	gouvernement	government	governo
hereditario	Erb-	héréditaire	hereditary	hereditário
implantar	einsetzen	implanter	to implant	implantar
libro electrónico	E-Buch	livre numérique	e-book	livro eletrônico
Luna	Mond	Lune	Moon	Lua
luz: dar a ~	gebären	donner le jour	to give birth	dar a luz
medioambiente	Umwelt	environnement	environment	meio ambiente
mejor: a lo ~	vielleicht	peut-être	maybe	provavelmente, talve
menos: al ~	zumindest	au moins	at least	pelo menos
microchip	Mikrochip	microship	microchip	microchip
mortal	tödlich	mortel	deadly	mortal
ocupación	Beschäftigung	occupation	occupation	ocupação
permanente	beständig	permanent	permanent	permanente
pila	Batterie, Akku	pile	battery	pilha
pobreza	Armut	pauvreté	poverty	pobreza
posiblemente	möglicherweise	éventuellement	possibly	possivelmente
privado	privat	privé	private	privado
probablemente	wahrscheinlich	probablement	probably	provavelmente
proyectar	vorführen	projeter	to project	projetar
publicitario	Werbe-	publicitaire	advertising	publicitário
realista	realistisch	réaliste	realistic	realista
rechazar	ablehnen	rejeter	to reject	rejeitar
reciclar	wiederverwerten	recycler	to recycle	reciclar
recursos naturales	natürliche Ressourcen	ressources naturelles	natural resources	recursos naturais
relacionado	in Zusammenhang	lié	related	relacionado
remedio	Heilmittel	remède	cure	remédio
robot	Roboter	robot	robot	robô
seguramente	wahrscheinlich	sûrement	probably	com certeza
seguro que	sicherlich	certainement	I'm sure that	com certeza
suponer	annehmen	supposer	to suppose	supor
tarjeta	Karte	carte	card	cartão
temperatura	Temperatur	température	temperature	temperatura
transmitir	mitteilen	transmettre	to transmit	transmitir
turismo, ~ lunar	Turismus, Weltraum~	tourisme, ~ lunaire	tourism, lunar ~	turismo, ~ lunar
valla	Zaun, Tafel	barrière	billboard	cerca
vez: tal ~	vielleicht	peut-être	maybe	talvez
vidrio	Glas	verre	glass	vidrio

Lección 12: Interculturalidad

	Alemán	Francés	Inglés	Portugués
acto	Veranstaltung	acte	function	ato
adaptar(se)	(sich) anpassen	(s')adapter	to adapt	adaptar(-se)
África	Afrika	Afrique	Africa	África
asiento	Sitz	place	seat	lugar
atlético	sportlich	athlétique	athletic	atlético
borracho	betrunken	saoûl	drunk	bêbado
cara: tener ~	dreist sein	avoir du toupet	to be cheeky	cara de pau
ceder	überlassen	céder	to give up	ceder
ceja	Augenbraue	sourcil	eyebrow	sobrancelha

circular	ringförmig	circulaire	circular	circular
comportamiento	Verhalten	comportement	behaviour	comportamento
comprobar	nachprüfen, feststellen	vérifier	to check	comprovar
conflictivo	Konflikt-	conflictuel	difficult	conflitivo
considerar	halten	considérer	to consider	considerar
convención social	soziale Konvention	convention sociale	social convention	convenção social
convencional	konventionell	conventionnel	conventional	convencional
cortar el rollo	aufhören	arrêter	to cut the crap	parar com essa conversa mole
costumbre	Sitte	habitude	custom	costume
cultura	Kultur	culture	culture	cultura
demostrar	(vor)zeigen	montrer	to show	demonstrar
diferencia	Unterschied	différence	difference	diferença
diverso	vielerlei	divers	diverse	diverso
doblar	bewegen	plier	to bend	dobrar
enemigo	Feind	ennemi	enemy	inimigo
énfasis	Betonung	force	emphasis	ênfase
entusiasmo	Begeisterung	enthousiasme	enthusiasm	entusiasmo
Etiopía	Äthiopien	Etiopie	Ethiopia	Etiópia
exquisito	vortrefflich	exquis	exquisite	delicioso
forma	Art	façon	way	forma
gesticular	gestikulieren	gesticuler	to gesticulate	gesticular
Grecia	Griechenland	Grèce	Greece	Grécia
identidad	Personal-	identité	identity	identidade
impuntual	unpünktlich	non ponctuel	unpunctual	impontual
índice	Zeigefinger	index	index	índice
insistir	bestehen auf	insister	to insist	insistir
interpretar	auffassen	interpréter	to interpret	interpretar
lado: de ~ a ~	von einer Seite zur anderen	de long en large	from side to side	de um lado a outro
llamar la atención	auffallen	attirer l'attention	to inspire surprise or interest	chamar a atenção
lógico	logisch	logique	logical	lógico
manotear	(mit den Händen) gestikulieren	taper	to wave one's hands about	esbofetear
Mediterráneo	Mittelmeer	Méditerranée	Mediterranean	Mediterrâneo
miembro	Mitglied	membre	member	membro
natural	natürlich	naturel	natural	natural
norma	Norm	norme	norm	norma
oficial	offiziell	officiel	official	oficial
oriental	östlich	oriental	eastern	oriental
palma	Handfläche	paume	palm	palma
persona mayor	alter Mensch, Erwachsene	personne âgée, adulte	grown-up, elderly person	idoso, adulto
pincho	Appetithäppchen	amuse-gueule	bar snack	aperitivo
porcentaje	Prozentsatz	pourcentage	percentage	porcentagem
presidencia	Vorsitz	présidence	presidency	presidência
programa	Programm	programme	programme	programa
propina	Trinkgeld	pourboire	tip	gorjeta
pulgar	Daumen	pouce	thumb	polegar
rasgo físico	körperliche Eigenschaft	trait physique	physical feature	traço físico

reaccionar	reagieren	réagir	to react	reagir
rector	Rektor	président	vice-chancellor	reitor
repugnante	abstoßend	répugnant	disgusting	repugnante
silbar	pfeifen	siffler	to whistle	assobiar
silbido	Pfiff	sifflement	whistle	assobio
socialmente	sozial	socialement	socially	socialmente
sordo	taub	sourd	deaf person	surdo
suceder	geschehen	se passer	to happen	acontecer
tocar	berühren	toucher	to touch	tocar
trágico	tragisch	tragique	tragic	trágico
Túnez	Tunesien	Tunisie	Tunisia	Tunísia
Turquía	Türkei	Turquie	Turkey	Turquia
valoración	Bewertung	évaluation	evaluation	avaliação
veras: de ~	wirklich	vraiment	really	de verdade